JN228437

人づきあいがラクになる
誰とでも信頼関係が築ける

雑談力

五百田達成
Iota Tatsunari

Discover

はじめに――雑談は、普通の会話とは、まったく違う

「雑談」って、難しくないですか？

- 何を話せばいいかわからない
- 沈黙が気まずい
- とにかく話が弾まない、続かない
- 初対面の人だと特に緊張する

仮にうまく話せたとしても、

- 薄っぺらい会話ばかりで疲れる
- いつ終わりにしていいかわからない

・気を使うのでしんどい
・結局、その場限りの関係で終わる

なんてことになりがちですよね?

相手が、知ってる人、仲のいい人なら、もちろんいいんです。
沈黙も気にならないし、なんならあっというまに時間がたってる。「雑談」っていうか、
おしゃべりですね。これなら全然いい。

問題は、そうじゃない相手と話すとき。

・初対面の人に、ぎこちなく自己紹介
・1回か2回会っただけの人と、適当に話を合わせなきゃいけない
・上司や取引先の偉い人に、下手なことを話せない
・義理の両親・親戚に、「ははは」と愛想笑いを続ける
・ママ友・パパ友から、どうでもいい話を延々聞かされる

……ああ、想像するだけで地獄です。

微妙な関係の人と、なんとなく話さなくちゃいけない状況。これこそがまさに多くの人が苦手な「雑談」です。

なんで、こんなことになるんでしょうか？　なにか解決策はないのでしょうか？

あります！　任せてください！
まさにその点を、本書ではお教えします。

。　。　。

申し遅れました、この本を書きました、五百田 達成（いおたたつなり）です。
編集者、広告プランナー、心理カウンセラーの経験を活かして、現在は、コミュニケーションのアドバイザーとして、本を書いたり、講演をしたりしています。この本を手にとってくださり、ありがとうございます。どうぞよろしくお願いいたします！

さて、話を戻しますね。

雑談は難しい。できないわけじゃないんだけど、なんかうまくいかない。困る。ストレス。なんで、こんなことになるのでしょうか？

理由は簡単。

それは「雑談は、普通の会話とは、まったく違う」からです。

大事なことなのでもう一度言いますね。

「雑談は、普通の会話とは、まったく違う」

だから難しくて当たり前なんです。

たいていの人は、会話というと

①友達や仲のいい人との、気を使わない、楽しいおしゃべり
②仕事の場面で、きちんと話す、大人としての会話

このふたつぐらいしか、話し方のバリエーションを持っていません。いわゆる、「普通の会話」です。

ですが、雑談とは、このどちらでもない、言ってみれば「第3の会話」です。だから、ほとんどの人が失敗する。どちらかのやり方で適当にやろうとするから、うまくいかない。

雑談とは、「微妙な間柄の人と、適当に話をしながら、なんとなく仲良くなる」という、とても繊細な会話の方式です。

それなのに、みんな、そのことを知らないで、見よう見まねでやってしまう。なんなら「雑談なんて簡単だよ、適当に話せばいいんでしょ」とばかりに、いい加減にやる。だから当然、話が弾まないし、疲れる。

ちょっとだけ盛り上がっても、全然、次につながらない。

このように、雑談とは、普通の会話とは異なる、まったく別のコミュニケーションなのです。

ならば、どうしたらいいか。そうです。これも簡単です。

「雑談に適した話し方」をすればいいだけです。

当たり前ですが、雑談に適した話し方をすれば、雑談はうまくいきます。

雑談がうまくなりたければ、「雑談力」を身につけましょう。

「えー、でも、雑談に適した話し方なんてあるの？」

「あってもいいけど、めんどくさかったらイヤだよ」

ですよね？　そう思いますよね？

だいじょうぶです。

雑談に適した話し方は、たしかにあります。でもって、それはとても簡単です。

本書にまとめたいくつかの簡単なコツを実践すれば、雑談はうまくいきます。NGな雑談例を避けて、OKな雑談例をそのまま行えば、あら不思議、気詰まりな相手とも、大事な相手ともうまく話せます。

- 天気の話やニュースの話題は雑談に不向き
- 「最近、どう?」って聞いてはダメ
- 共通の話題を探すのは、素人がやること

などなど、初めて聞くかもしれないことが次々と飛び出しますが、びっくりしないで読み進めてみてください。

読み終えるころには、あなたの雑談力は飛躍的に向上していること、間違いなしです。

そう、この本を読むだけで、雑談がとてもうまくなるのです。

そうすれば、結果的に、

- 人づきあいがラクになる、疲れなくなる
- 気楽に話が続けられる、サクッと仲良くなれる
- 大事な取引先から、気に入られる、信頼される
- チャンスが次につながり、成果が生まれる

といった効果が得られます。

しかも、**雑談力は、身についてしまえば一生モノです。これからずっと、雑談の場で困りません。ラクに話せるし、人気者にもなれる。**

それって、よくないですか？

けっこう、お得なんじゃないかな、って思うんです（笑）

というわけで、長らくお待たせしました、始めていきましょう。

いままで解き明かされることのなかった「雑談」の正体、やっちゃいけないこと・やるべきこと、雑談がうまい人と下手な人の決定的な差……。

「超」雑談力の授業、スタートです！

もくじ

1章 基本の7ルール

これさえ知れば怖くない！

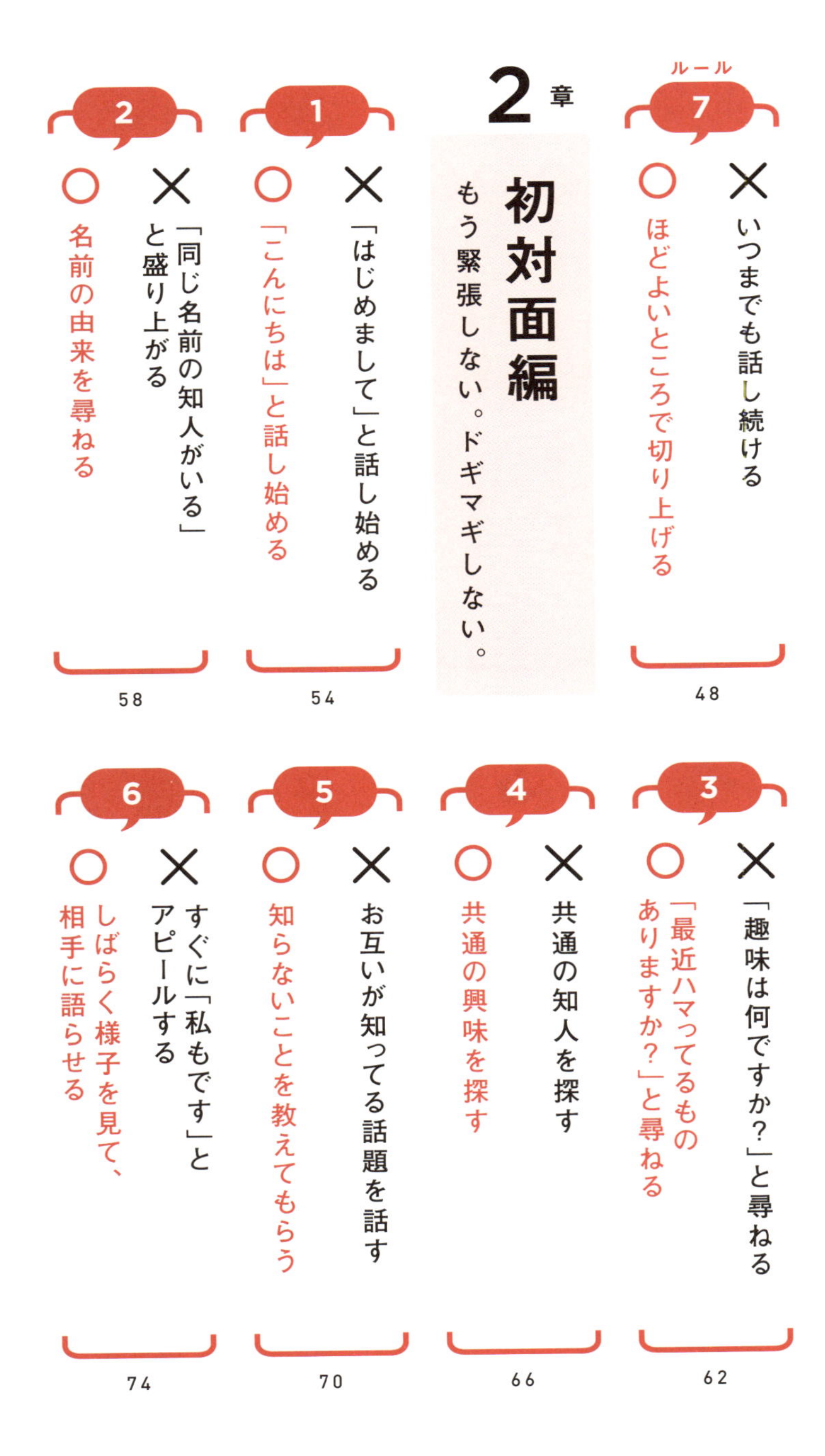

2章 初対面編

もう緊張しない。ドギマギしない。

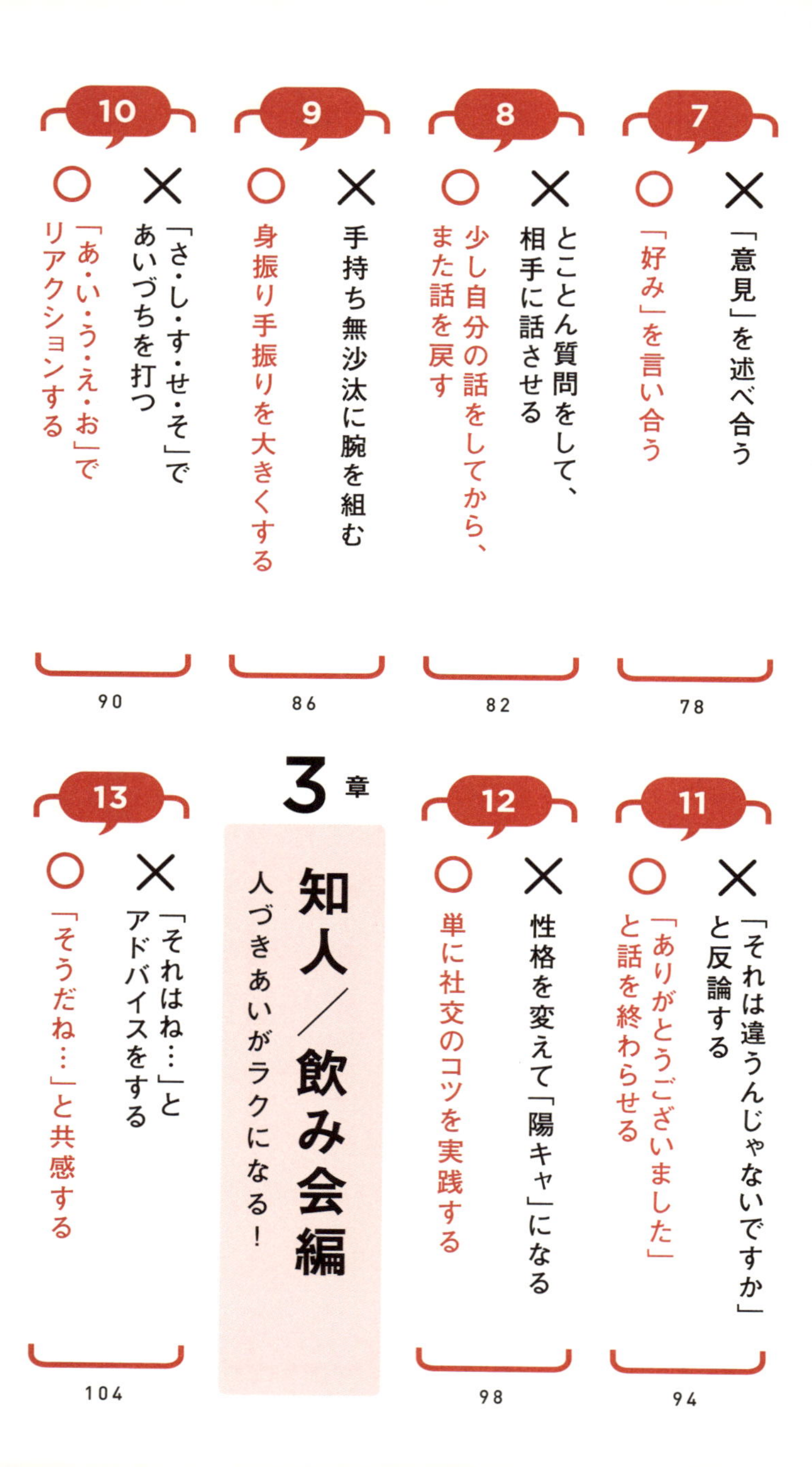

3章 知人／飲み会編

人づきあいがラクになる！

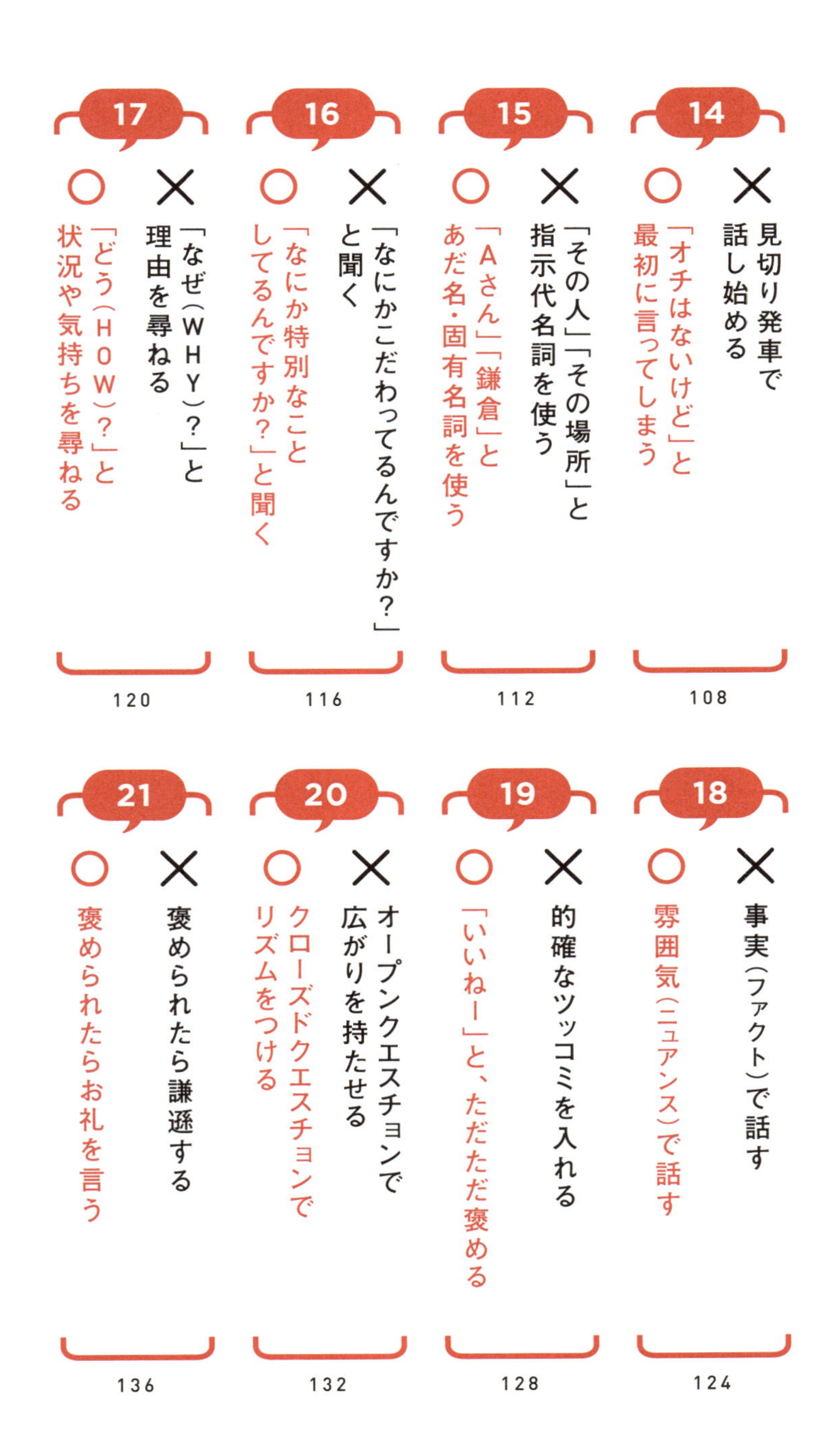

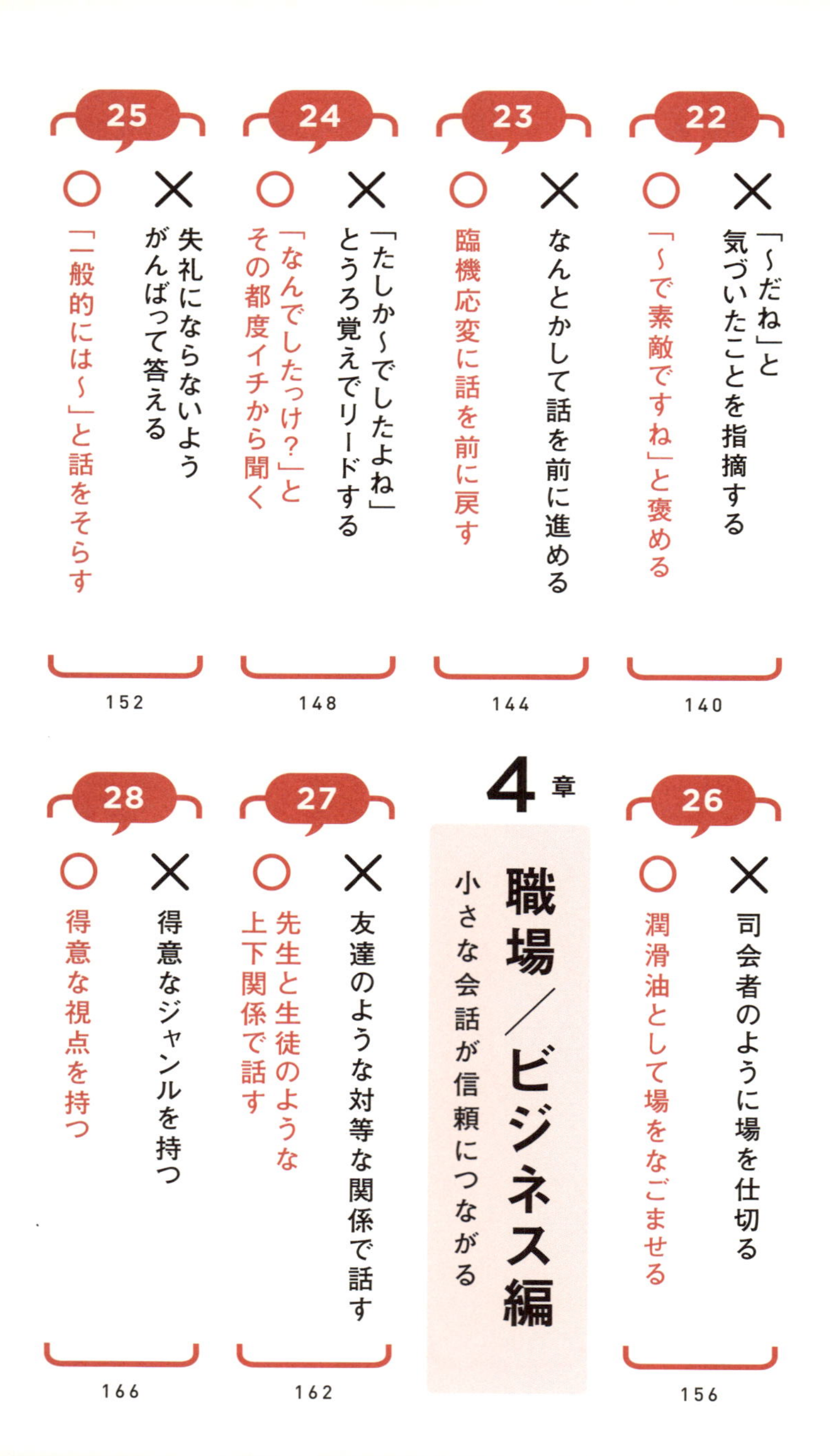

4章 職場／ビジネス編

小さな会話が信頼につながる

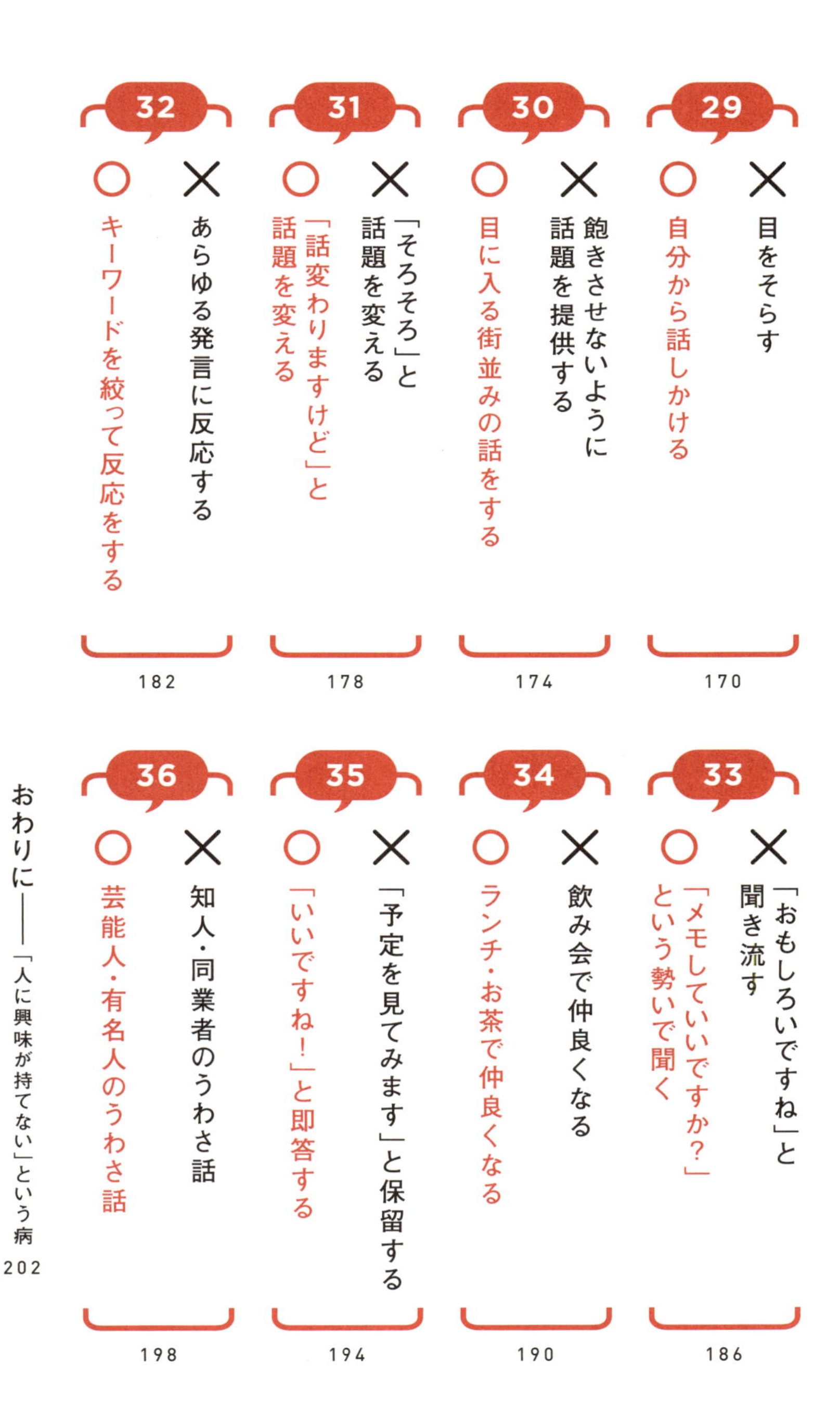

「超雑談力」チェックシート

雑談の 達人? 凡人? あなたはのはどっち?

Aの数を数えてください

1 初対面の人に聞くのは

A: 趣味は何ですか?

B: 好きな食べ物は何ですか?

2 褒められたときは

A:「そんなことないです」と謙遜する

B:「ありがとうございます」とお礼を言う

3 共通の趣味が見つかったら

A:「私もです!」と盛り上がる

B:「そうなんですね!」と語らせる

4 久々に会った知人に聞くのは

A:「最近どう?」

B:「仕事は順調?」

5 切り上げたいときは

A: うまいタイミングを探る

B:「ありがとうございました」と終わらせる

6 取引先ともう一歩仲良くなりたいときは

A: 飲みに誘う

B: ランチに誘う

やっている

7 上司とタクシーで二人きり……

A:「この間の案件ですが」と仕事の話をする

B:「休日は何をされているんですか?」と雑談する

8 相手が好きなもの・ことについて

A:「どうして好きなんですか?」と理由(why)を聞く

B:「どれくらい好きなんですか?」と程度(how)を聞く

9 会話に詰まったときに頼るのは

A: 鉄板の自虐ネタ

B: オチのない世間話

10 会話のとっかかりは

A: 流行りの時事ネタ

B: 自分のエピソードトーク

11 相手の会社名を聞いたら

A:「私の友人も勤めてます」と広げる

B:「どんな仕事をされてるんですか?」と掘り下げる

12 会うのが2回目以降の相手には

A: 前回何を話したかきちんと覚えておく

B:「何度も話していたらすみません」と気にしない

集計方法

右の表からあなたが普段やっているほうを選び、Aの数を数えてください。次ページであなたの雑談力をチェックしましょう。

診断結果

雑談の

素人

Aが10〜12の人

一生懸命話すけれど、どうも会話が盛り上がらず、空回りしてしまうタイプ。雑談のメリットやコツを学んで実践すれば、ラクに話せて、出会いのチャンスが広がります。

雑談の

凡人

Aが6〜9の人

仲のいい人とは話せるけれど初対面や目上の人との会話は苦手で、つい緊張してしまうタイプ。ちょっとしたテクニックを覚えるだけで、人間関係のストレスはグッと減ります。

雑談の

達人

Aが
2〜5
の人

どんな人ともストレスなく雑談ができる、人づき合いが上手なタイプ。場を盛り上げるテクニックや相手の懐に飛び込むメンタルを身につければ、鬼に金棒です。

雑談の

超人

Aが
0〜1
の人

どんな場面でも会話をコントロールし、たしかな人間関係を築けるタイプ。人も仕事もお金も引き寄せるスーパーマンは、日頃の答えあわせのつもりで読んでください。

1章

超雑談力
基本の7ルール

これさえ知れば怖くない！

ルール
01
雑談の目的

○
ただ会話のラリーを
続ける

×
がんばっておもしろい
話をしようとする

「雑談は何を話せばいいかわからない」
「盛り上げようとがんばって話すけど、疲れる」

こう思うこと、ありませんか？
ですが、「雑談を盛り上げるためにおもしろい話をしなくてはいけない」というのは、大きな勘違い。

雑談の目的とは、ずばり「人間関係の構築」にあります。

初対面の相手と、とりあえず話を進める。
2、3回目ぐらいの人と、もう一歩踏み込んで仲良くなる。
上司とタクシーの中で交わす雑談、取引先との商談前のアイスブレイク。
義理の両親との久しぶりの会話、ママ友とのつかず離れずのおしゃべり。

シチュエーションはそれぞれですが、すべての雑談は、**会話を通じて、お互いの警戒心を解き、スムーズで円滑な関係にシフトするのが目的です。**

「初対面の相手と、どうでもいい話で盛り上がってすっかり意気投合した」
「堅物の取引先と、長々と世間話をしているうちに商談がまとまった」
こういう成功談は、まさに、雑談で関係がよくなったから生まれたものです。

逆に言うと、人と人は雑談をしさえすれば、仲よくなります。その際、話の内容は、はっきり言ってどうでもいいのです。

ですから、無理におもしろい話をする必要はありませんし、ましてや、「結論」や「オチ」なんて不要です。むしろ、あってはいけないもの。

「わかりやすく結論から話す」「数字やデータを用いて論理的に話す」なんてことをしたら、雑談は一瞬で終わってしまいます。雑談が終わったら、関係も終わります。

「要するに」と話をまとめてはいけない

人はロボットではありません。人には気持ちがあります。

オチのない話を、苦笑交じりにする。
結論の出ない話を、堂々巡りで繰り返す。
お互いにそうやって話すことが、「一緒に会話をしている」という実感を生み、「関係が深まった」という安心感につながるのです。

「The show must go on」（直訳で「ショーは続けなければいけない」）という言葉がありますが、雑談も、とにかく続きさえすればいい。**大切なのは「内容」ではなく「ラリー」です。**
そのためにはどうすればいいか、ということを、次のルール以降でお伝えしていきます。

が、まずは、**「雑談におもしろい話や結論は要らない。ただただ、続きさえすればそれでいい」**という第1のルールを、しっかりと頭にたたき込んでください。

ポイント

雑談は会話のラリー。とにかく続けばいい

ルール

02 雑談の中身

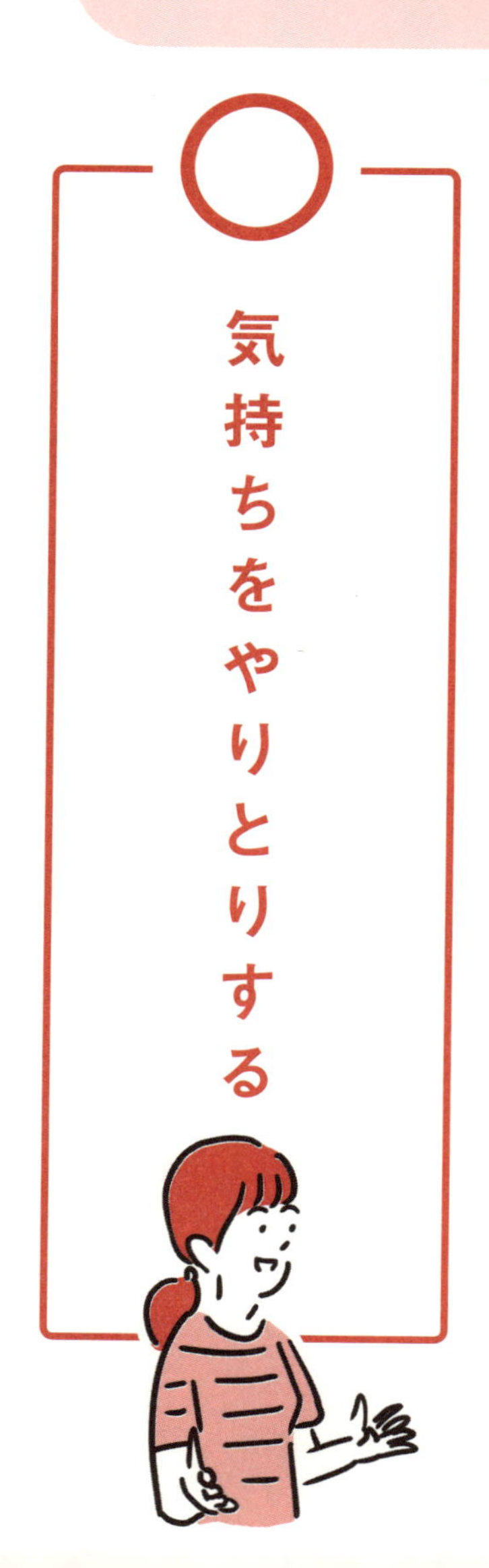

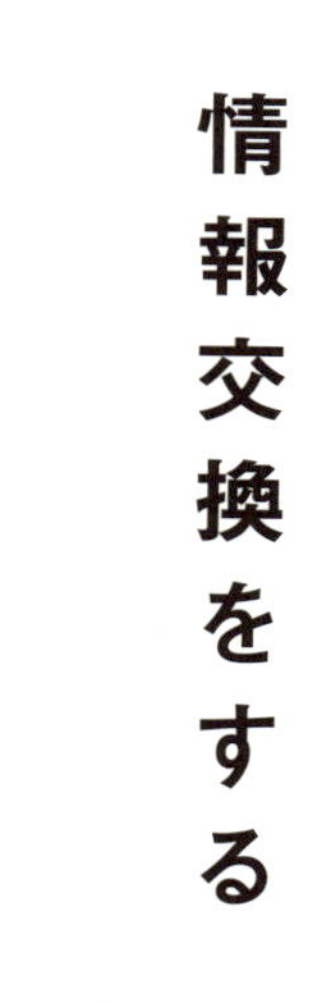

「異業種交流会で、中国市場について情報を交換できたので有意義だった」
「ママ友から、近くの進学校の教育方針について教えてもらえた」

雑談を「情報交換」ととらえている人がいます。有益な情報を受け取り、差し出す。それこそが実りある雑談、というわけ。

これもまた、間違った雑談です。

第1のルールで、「雑談の内容はなんでもいい」とお伝えしましたが、それでも中には「仲良くなりやすい雑談」と「仲良くなりにくい雑談」があります。

「情報交換」は、まさに「仲良くなりにくい雑談」の典型です。 たとえば、雑談相手と、お互いの趣味であるゴルフの話題になったとします。

「最近いいドライバーを買いまして」
「どこ製のですか?」
「◎◎製です」
「どうしてそれにしたんですか?」

「芯を食ったときの飛びが違うと聞いて」

「なるほどそうですか。では私も検討してみます」

――

こういう雑談って、ありますよね。ですが、こんな会話をしていては、いつまでたってもよい関係は築けません。それに比べて、次のような雑談はどうでしょう?

――

「最近いいドライバーを買ったので、気持ちよく打ててるんですよ」

「わかります！　しっくりくるクラブって貴重ですよね」

「一旦『これだ！』って思っても、すぐにわからなくなったり。困ったもんですよ」

「でもまあ、そうやって難しいからこそ、ゴルフって楽しいんですよね」

「そうなんですよー。やめられませんねえ」

――

この会話には、はっきり言って、大した情報は含まれていません。

それでも、お互いのゴルフ愛がびしびしと伝わってきますし、「今度一緒にラウンド回りましょうか？」という会話にも発展しそうです。

気持ちを伝えると、気持ちが近づく

なぜこの雑談が「いい雑談」なのかというと、ふたりが「情報」ではなく「気持ち」をやり取りしているから。

「気持ちいい」「しっくりくる」「困った」「楽しい」「やめられない」……。こういった喜怒哀楽の感情を伝え合うのが、「仲良くなりやすい雑談」の鉄則です。

繰り返しになりますが、人には気持ちがあります。雑談では、その気持ちをやり取りすべき。**調べればわかる冷たい情報ではなく、自分だけが感じた生の気持ちを共有すれば、親密な関係を築けるのは、当然のことです。**

「情報」ではなく「気持ち」を話す。これが第2のルールとなります。

ポイント

気持ちをやり取りすると、いい関係ができやすい

ルール

03

雑談のきっかけ

エピソードや経験談を話す

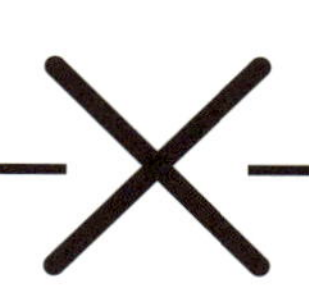

時事ネタやニュースを話す

「今朝、ニュースで見たんですけど」
「最近〇〇が流行ってるらしいですね」

雑談のきっかけとして、その日のニュースや流行ってる時事ネタを持ち出すこと、ありませんか？　話のとっかかりとして、誰もが知っていることを話したくなるのは当然です。

ですが、これも、雑談力を向上させるためには、避けましょう。

第2のルールで「情報ではなく気持ちを話すべき」とお伝えしましたが、**流行の時事ネタやニュースを話のきっかけにすると、会話が上滑りしてしまい、生の感情を話しにくいのです。**

「今回の台風はひどかったらしいですね。全国各地で被害が出ていると聞きました」
「そうらしいですね。大変ですよね」
「……」
「……」

誰もが知ってるニュースなのに、なぜか話は盛り上がりません。

仮にここで、「政府の対応には怒りを覚えました」「災害には気をつけたいですよね」と、無理に気持ちを伝えようとしても、どうもうまく言えません。

擬音を使って、エピソードを話す

では、どういう話題を選べば、スムーズに自分の気持ちを伝えられるのでしょうか。

正解はずばり、「自分自身のエピソードや体験談を話す」です。


「今回の台風、ゴーゴーと風がすごくて。夜、寝られなかったんですよ」

「えー、それは大変ですね」

「頑丈だと信じてたマンションなんですけど、今回ばかりはヒヤヒヤとしました」

「うちも初めて防災リュックをつくりました。がらっと意識が変わりますよね」


このように、台風の話題も自分が実際に体験したことにひもづけて話せば、グッと身近になります。そうすれば、「信じてた」「意識が変わった」と、自分の感情をありありと伝えることができるというわけ。

この「ありありと」というのが重要で、**「ゴーゴーと」「ヒヤヒヤ」など、擬音（オノマトペ）を使うのも効果的です。**

派手なエピソード、笑える体験談の必要はありません。ごくごく普通の話でOK。**「体験したこと＋感じた気持ち」をセットで話すようにすれば、相手との関係はみるみるうちに良好なものとなります。**

どこかで読んだような時事ネタではなく、自分のエピソードを話す。あなた自身が経験したことを話す。これが、第3のルールとなります。

ポイント

実際に体験したことは、気持ちを乗せやすい

ルール

04

話の聞き方

肯定して共感する

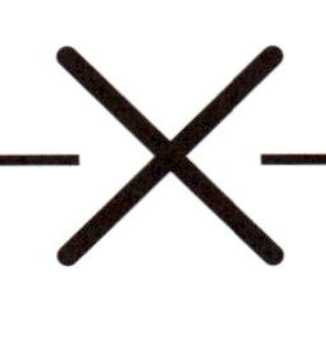

否定してアドバイスする

さて、第3のルールまでは、「どう話すべきか」についてお伝えしてきました。次のルールは「どう聞くか」です。

雑談とは「関係を構築するための相互的な作業」ですから、いかにこちらが上手に自分の気持ちを伝えたとしても、それだけでは不十分。**相手の雑談もきちんと聞かなくてはなりません。**こちらのほうが苦手という人も少なくないでしょう。

どのように話を聞けばいいか。基本は、これまでのルールの応用となります。

つまり**相手に「結論やオチを求めず」、ひたすら「会話のラリーを続け」、「相手が気持ちを話すよう」に持っていくということ。**言うのは簡単ですが、これがなかなか難しい。

たとえば次のような雑談はどうでしょうか？

「最近、寒くなりましたね」

「あ、でも、来週は暖かいみたいですよ(①)」

「あ、そうなんですね……。いやー、急な気温の変化で風邪を引いちゃいましたよ」

「手洗いとかうがいとかしてます？　気をつけたほうがいいですよ(②)」

①その気はなくても、相手の発言を否定・訂正する。
②よかれと思って、アドバイスをする。

このふたつこそが、間違った話の聞き方のワースト2です。

普段の会話ならOKかもしれませんが、雑談においては完全にNG。

雑談では、多少相手の話が間違っていようと、意見に違いがあろうと、目をつむって話を続けるのが正解となります。

肯定されると、人は気持ちを打ち明ける

「最近、寒くなりましたね」

「そうですねー。朝晩とか、めっきり冷え込んで（①）」

「急な気温の変化で風邪を引いちゃいましたよ」

「うわ、それは大変だ（②）」

「そうなんですよ。プレゼン前なんで弱っちゃいましたよ（③）」

このように、相手の話を**①とことん肯定して、②とにかく共感する**と、さらにプラスの効果も生まれます。それは、**③相手が「気持ちを言いやすくなる」**ということ。人は、**肯定され続けると、つい自分の気持ちを話したくなるのです。**

これまで見てきたルールを、あなたがどれだけ守っても、相手は好き勝手に話してくることもあるでしょう。そういうときこそイライラせずに、否定せず、アドバイスせず、話を聞きましょう。

そうすれば相手も次第に落ち着いて、心を開いて、ルールに則った雑談を始めてくれます。

相手の話を聞くときは、とにかく肯定する。とにかく共感する。

これが第4のルールとなります。

ポイント

否定とアドバイスは、絶対にしてはいけない

ルール

05

効果的なリアクション

大きなリアクションで
一緒に楽しむ

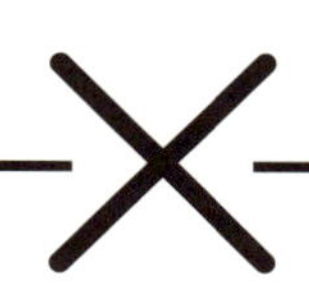

質問やあいづちで
話を引き出す

第4のルールでは「聞き方」についてお伝えしました。

ですが、これはなにも、「聞き役に徹しなさい、聞き上手になりなさい」ということではありません。


「話を聞いてばかりだと、疲れる」

「話題を振っても相手が乗ってこない」


このようなモヤモヤした気持ちを抱えたまま、雑談を続けるべきではありません。

「しんどい」「めんどう」と思うような雑談は、雑談ではありません。


ここでもう一度、雑談を気楽に考えてください。第1のルールを思い出しましょう。

雑談なんて、話が続けばなんでもいいのです。


ですから「質問力を上げて、うまく話を引き出そう」とか「あいづちに気を遣って、相手が話しやすくなるようにしよう」とか、思わなくてOK。

聞き上手になろうと思わなくていい。むしろ、そういう気遣いをするから、苦手意識が

湧くのです。所詮は、雑談です。気楽にいきましょう。

聞いてるほうはリアクションだけでいい

では、聞く側として、なにもしなくてもいいのでしょうか？

第4のルール「肯定して共感する」に加えてもうひとつ、気をつけるべきなのは、それはリアクションをよくすること、です。

うまくあいづちを打とうとか、上手な質問を考えようとか、そんなヒマがあったら、大きくリアクションをしましょう。

手をたたく、表情を変える、笑う……。そうすることで、相手に「ちゃんと話を聞いてますよ」と伝えることができます。

繰り返しになりますが、雑談とは「気持ちのやり取り」ですから、言葉であれこれ言わなくてもいいのです。**身振りや表情で、気持ちを伝えれば、その時点で立派に雑談は成立。**相手は安心して、会話を続けることができます。

また、大きなリアクションは、自分自身への暗示にもなります。
つまらない話だろうが、出口の見えない話だろうが、大きくリアクションすると、脳がだまされて、「楽しい」と勘違いします。そうすると、雑談はあなたにとっても楽しいものになり、結果的に会話もはずむというわけです。

雑談はどちらか一方が楽しませるものではありません。あなたがプレッシャーを感じる必要はないのです。責任の半分は相手にあるのですから（笑）。

疲れたり、気詰まりな思いをすることがないよう、ある程度「手を抜く」。
これが大事な5番目のルールとなります。

ポイント

あいづちよりもリアクションをがんばる

ルール

06

沈黙の対処法

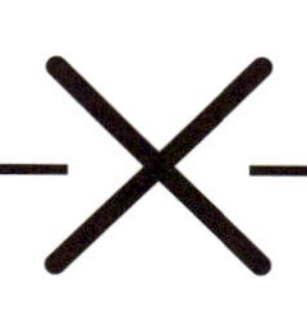

会話が途切れたら
「別の話題」を探す

会話が途切れたら
「自分に近い話題」に
引き戻す

これまで見てきた5つのルールで、正しい雑談のおよその雰囲気はつかめたと思います。

では、そもそも、会話が続かなかったらどうすればいいでしょうか？　話がぶっつりと途切れてしまったらどうするのが正解でしょうか？

「沈黙が怖いので、いろんな話題で盛り上げようとするけど、疲れる」

「上っ面の話ばかりが続くのが、気持ち悪い」

沈黙がイヤなのでいろいろな話題を持ち出すけれど、どれも空振りに終わってまたお互いに黙ってしまう……。雑談における大ピンチです。

ゆっくりとじっくりと雑談する

たしかに話が続くことは大事です。ですが、話が途切れたときに、慌てて他の話題を持ち出すのはよしましょう。

うわべだけの話題を次々に変えて、浅く沈黙を埋めていては、まったく気持ちをやり取りできません。

そういうときには、**まず、会話のペースを落としましょう。**多少の沈黙を恐れず、ゆっくりと、トーンも抑えて低い声で話すようにします。

そうした上で、もう一度基本に立ち返るのです。基本とはつまり**「自分の話をする。気持ちの話をする」**ことです。


「オリンピック、近いですね」

「うまくいくんですかね……」

「消費税にも困ったもんですね」

「ほんとに……」

「……(会話が途切れた)」

「……(沈黙がつらい)」

「えーと、実は昨日、うちで飼ってる犬が、体調を崩しまして」

「あ、犬飼ってるんですか?」

「そうなんです、結構な老犬なんですけどね」
「いいな〜。うちもほんとは飼いたいんですよ」
——

ニュースや時事ネタなど、自分たちには関係のない、つまり「遠い」話だから、話すことも尽きてくるのです。盛り上がらないし、沈黙が続く。

逆に、自分たちにとって「近い話題」なら、話は簡単に復活します。自分が体験したこと、思ったことであれば、話が尽きることはありません。

沈黙が訪れたら、身近なエピソードをきっかけに気持ちを話すようにする。
これが雑談のピンチを救う、大切な第6のルールとなります。

ポイント

沈黙は話が「遠い」サイン。「近い話」に引き戻すべし

ルール
07
雑談の切り上げ方

ほどよいところで
切り上げる

いつまでも話し続ける

第6のルールでは、話が途切れた場合の対処法についてお伝えしましたが、逆の場合はどうでしょう？　つまり、**思いの外、話が続いてしまったとき**です。


「上司との雑談の切り上げ時がわからない」

「ズケズケとプライベートに踏み込んだ質問をされた」

「話の流れで、行きたくもないゴルフに誘われてしまった」


たしかに、雑談の目的は、関係の構築です。

ですが、これはなにも深い関係を築くべきということではありません。ある程度距離を置きたい場合もあるでしょう。

そこで第7のルールが必要となってきます。

雑談は腹八分で切り上げるのがマナー

一緒にとりとめもない話をすることで、安心感が生まれ、信頼関係が生まれる。雑談とは、まさに人間関係の「入り口」です。が、あくまで「入り口」に過ぎません。

所詮は雑談相手です。家族や恋人ではありません。上司や取引先が相手でも、会議や仕事の話は別途行うものですから、そこまでディープにつき合う必要はないのです。

雑談は、あくまで、雑談。

関係をほどよい距離でキープするためにも、雑談は「いつか終わるべきもの」と考えておくことがとても大事です。そうすれば、あなたのストレスはだいぶ軽くなるはずです。

雑談の切り上げ方の正解は、「これまで学んだルールを真逆に行う」ことです。

つまり、**なるべく気持ちを話さず、リアクションを抑え、話をまとめて、その場を去る。**たとえばこんなイメージです。


「おたくの会社、今、大変なんだって?」

「いやー、どうでしょう（否定）」

「えー? 現場も実はしんどいでしょ?」

「そういう声は聞きませんけどね（自分の気持ちは言わない）」

「社長と副社長の仲、やばいらしいじゃない」
「まあサラリーマンも偉くなると、いろいろ大変ってことですね（まとめる）」
「あ、うん、まあね」
「お時間ありがとうございました！　あ、ちょっと、失礼しますね」

このように徐々に雑談を盛り下げていき、最後に「ありがとうございました」とお礼を言って去る。こうすれば、失礼な印象を与えずに、雑談を切り上げることができます。

雑談力のルールを逆利用することで、スムーズに、無難に雑談を終わらせる。

これこそが、第7の、そして最後の重要なルールとなります。

ポイント

雑談を上手に終わらせるのも雑談力

2章

超雑談力

初対面編

もう緊張しない。ドギマギしない。

01

雑談を始める合図

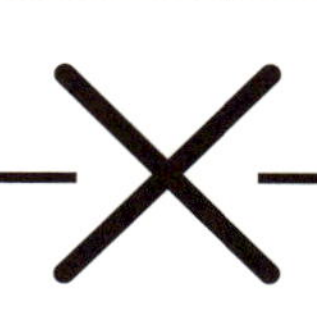

「はじめまして」と話し始める

「こんにちは」と話し始める

「はじめまして、○○社の■■です」
「どうも、▲▲です。あ、以前、一度お会いしてますよね」
「あ、ご無沙汰してます」

初対面の人と話すとき、このようになんとなく話し始めていませんか？ これはNGな雑談です。

雑談とは、話のラリーを交わして、気持ちを落ち着かせる行為ですから、「始め方」も、リラックスしたものにする必要があります。

それなのに、堅苦しくお辞儀をして、名刺を取り出しながら、おもむろに話を始めてしまってはいけません。いったいどうすればいいのでしょうか？

正解は「あいさつ」です。

「こんにちは！ はじめまして、○○社の■■です」「こんにちは！ 以前、一度お会いしてますよね」「こんにちは！　ご無沙汰してます」など、**初対面はもちろん、以前会ったことがある相手でも、最初に「こんにちは」とあいさつをすると、その場の空気がさっと明るくなります。**

さらには「さあ、お話を始めましょう」という合図にも。スポーツの試合を始める前にお互い、「よろしくお願いします」と声を掛け合うイメージですね。

同じあいさつでも「お世話になっております」「お疲れさまです」は、少々ビジネスライク過ぎます。特別な意味を持たせず、さわやかに雑談スタートの合図を送る。それには「こんにちは」というあいさつがベストなのです。

自分の名前は何度でも名乗る

「こんにちは！」のあとに、「○○です」と、名乗るのも大事なコツ。というのも、相手はこちらの顔と名前を覚えてない確率が高いからです。

初対面だろうが、2回目だろうが、3回目だろうが、一切かまわずに、「こんにちは！●●社の○○です」と名乗るのが、雑談の切り出し方としては大正解。

相手が「なに言ってるんですか、覚えてますよー」と苦笑したとしても、かまいません。あいさつされて、名乗られて、嫌な気持ちになる人はいないのですから。

また、**こちらから名乗ると、なんとなく名乗り返してくる流れになるので、相手の名前を確認できるのも、うれしいポイント。**

同様に、「すでに渡してるかもしれない名刺を再び渡す」というのも使えるワザです。

「部署が変わったので」「会社が引っ越したので」と、**なにかしら理由をこじつけて名刺を渡すと、相手も名刺をくれるので、顔と名前を再確認できる。**

パーティなどですぐに使える、即効のテクニックです。

ポイント

「こんにちは」で始める雑談は気持ちがいい

02

名前を聞いたあと

○ 名前の由来を尋ねる

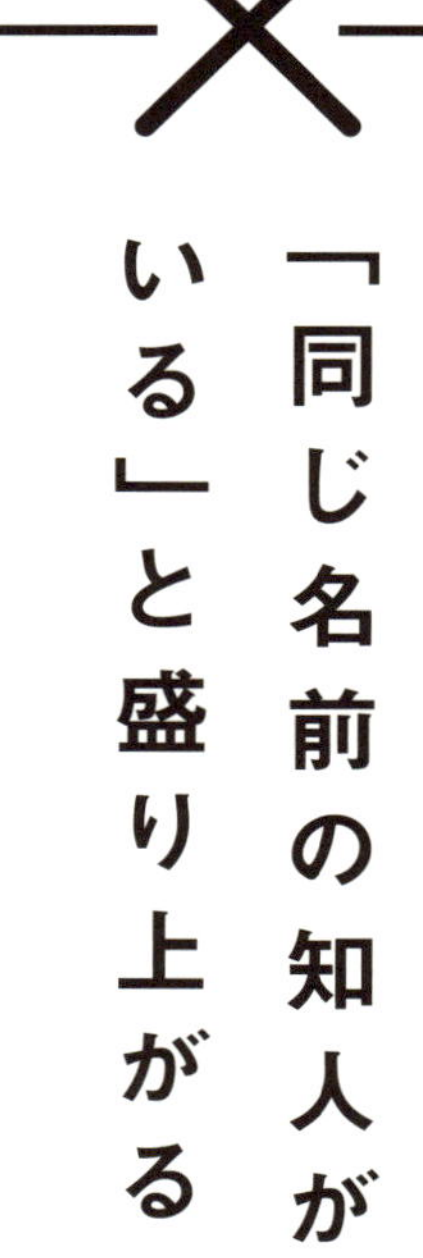

× 「同じ名前の知人がいる」と盛り上がる

初めて相手の名前を聞いたときは、雑談を盛り上げるチャンスです。ボーッと聞き流さずに、話を広げましょう。

このときNGなのが、反射的に同じ名前の知人の話を始めてしまうパターン。

よほど珍しい名前で、本当に親戚だったというレアケースをのぞいて、この切り口で盛り上がることは稀（まれ）です。

「あ、知り合いに同じ名前の人がいます」
「そうですか。意外とよくある名字ですから」
「いや、学生時代、そいつとはすごく仲が良かったんですよ～」
「そうですか。それはなによりです」

それ以上、どう広げていいかわからず、お互いに困惑するのが関の山。こういう展開は避けたいものです。

では、どうしたらいいのでしょうか？

人に歴史あり、名前に由来あり

名前をフックに雑談をする際、おすすめは「名前の由来を尋ねる」という方法です。

——「珍しい苗字ですね。どちらのご出身なんですか」
「僕自身は東京なんですが、父が岡山の出身で、向こうにはよくある苗字らしいです」

こんな風に、苗字をきっかけに出身地の話になり、そこから会話が盛り上がることは珍しくありません。

もし、佐藤、高橋、田中など、よくある苗字でもあきらめるのは早い。下の名前について深掘りしてみましょう。

——「秀樹さんっていいお名前ですね」
「実はうちの母親が西城秀樹の大ファンで、祖父母の反対を押し切って『秀樹』と名付けたそうなんです」

「下の名前はなんてお読みするんですか」
「卓と書いて『たかし』です」
「珍しいですよね？」
「よく『たく』や『すぐる』と間違えられます。親が、漢字一文字で八画、読みは三文字の名前にこだわったと聞いています」

名前のエピソードは聞けば聞くほど奥が深いし、その人だけのオリジナルストーリーがある、パーソナルな話題。

名前の由来を話したり聞いたりすることで、自然とお互いの気持ちは近づきます。

ポイント

名前の話題は、ほどよく相手の領域に踏み込める

03

趣味の聞き方

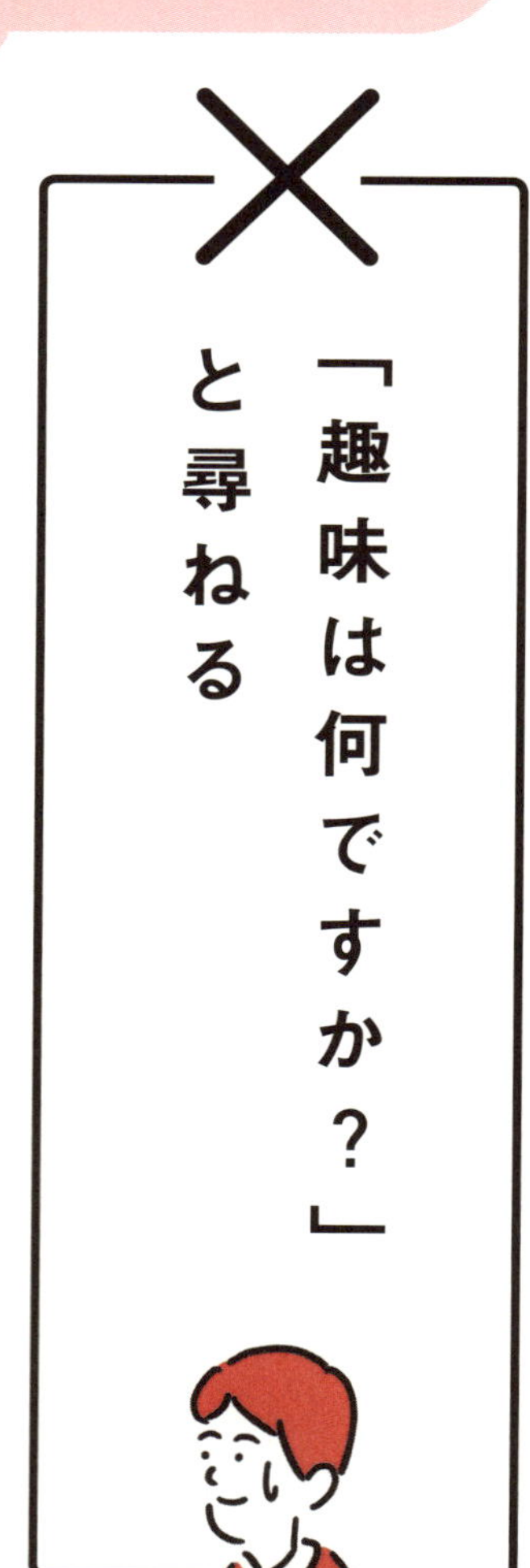

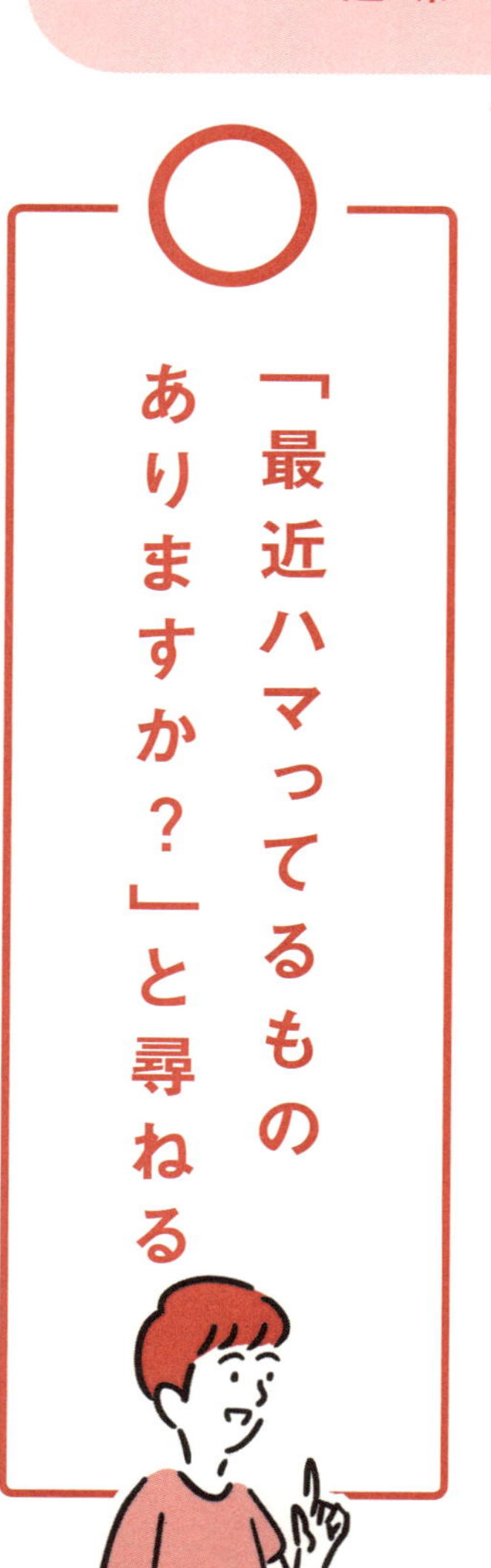

○
「最近ハマってるもの
ありますか?」と尋ねる

初対面同士の会話の定番に「趣味は何ですか?」というものがあります。
相手を知るための手がかりになるし、共通の話題が見つかるかもしれない。**一見、雑談にもってこいの質問のように思えますが、実は難易度が高い危険なフレーズです。**

趣味の話で盛り上げようという発想自体は間違っていません。
ところが、わざわざ「趣味は?」と尋ねてしまうと、「この人が言う〝趣味〟は、どのレベルのものを指しているんだろう」「〝趣味〟と胸を張って誇れるほどのものはないな……」など、余計なことを相手に考えさせてしまうのです。

ですがこれも、**質問のしかたを少し変えるだけで、話がぐんと弾みます。**
おすすめなのは「最近ハマっていること(もの)、ありますか?」です。「趣味」と言われると構えてしまうけれど、「ハマっていること」と言われると、好きなことや気になっている分野についてすんなり語れます。質問が具体的な上に、**「どう思われるか」と他人の評価を気にしなくて済むからです。**

たとえば、年に1回友達に誘われて参加するハイキング。たまに、クラシックレコードを聴くこと。ふらっと雑貨屋をのぞいてみること。日常生活の中の「好きなこと・時間」はすべて、「最近ハマっていること」の答えになり得るのです。

本当の趣味なんて答えなくてもいい

逆に、相手から「趣味は何ですか？」と、聞かれたら、どうすればいいでしょうか？

初対面の人に打ち明けるのは抵抗がある場合もありますよね。「へー、変わってますね」などと雑なリアクションをされると、カチンときてしまいます。

ですが大丈夫。そこで〝本当の趣味〟を答える必要はありません。

実はこの質問、本当にあなたの趣味を尋ねているわけではないのです。**相手はそこまで深く考えて質問していない。**話のきっかけにすぎない。ですから答えも適当でＯＫ！

先ほどお伝えしたように、今、ハマっていることの中から選んで話してもいいですし、思いつかない場合は、先週末のできごとや今週末の予定について話すのもいいでしょう。

「趣味というわけじゃないんですけど、先週末は箱根までドライブしました」
「いつもじゃないんですけど、たまたま来週はサッカーの試合を見に行く予定です」
前者であれば「箱根」や「ドライブ」、後者は「サッカー」や「スポーツ観戦」の話題で話が広がる可能性が出てきました。このほうが、専門的な趣味の話よりもよほど盛り上がる、というわけです。

雑談の中でされた質問には、ストレートに答えなくていい。

飛んできた会話のボールをとりあえず打ち返して、ラリーを続けることにこそ意義があります。

ポイント

趣味を聞かれたら、先週末や今週末のことを話す

04

共通の知人の話

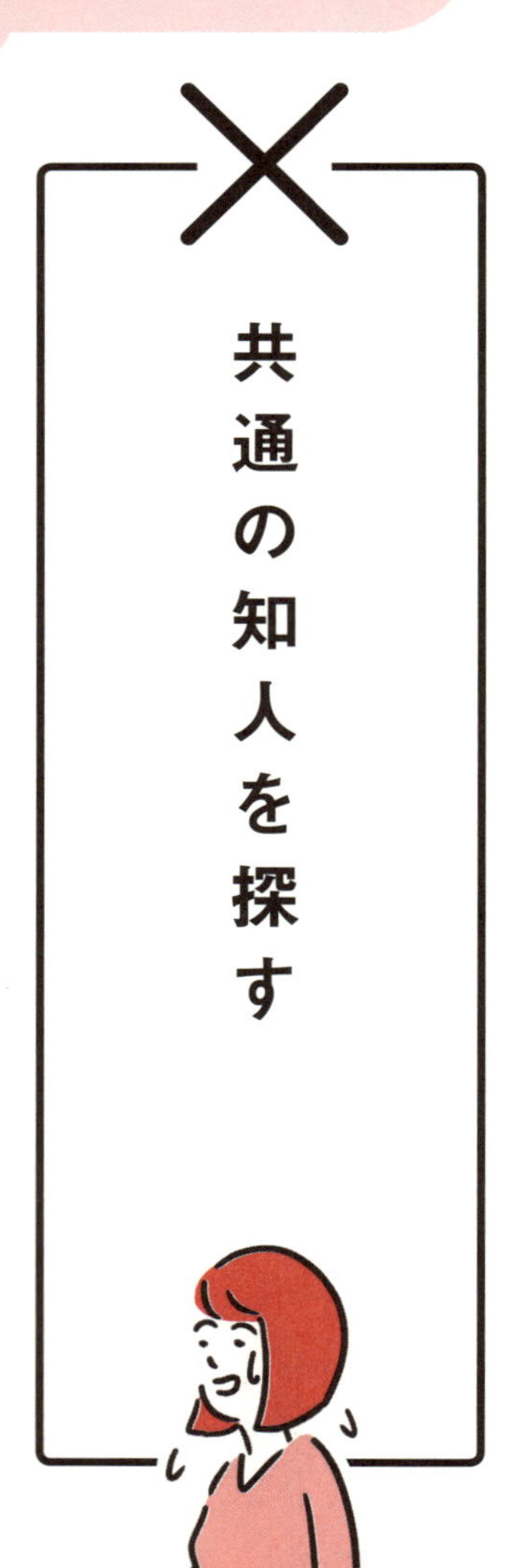

初めて会った人となんとか話題を見つけようと、共通の知人を探してしまうこと、ありますよね。


「お住まいはどちらですか？」

「●●市です」

「えー、ほんとですか！　前に友達が住んでましたよ！」

「はぁ……」

「あ、っていっても知らないですよね。えっと、お勤めはどちらですか？」

「▲▲社です」

「そうなんですか！　大学時代のゼミの先輩が営業部にいます。高橋さんって方なんですけど、ご存じですか」

「いや、知らないです」

「大きい会社ですもんね……」

「ええ……」


このように、パッと飛びついた共通点探しは、空振りに終わることが少なくありませ

ん。仮に、うまく見つかったとしても、

「もしかして、高校・大学とラグビー部だったという高橋さんですか?」

「そうそう、その高橋さんです。なつかしいなあ、お元気ですか」

「この間、営業部長になられましたよ。つい最近、お子さんが生まれたかな」

「おめでたいですね」

「お子さんが生まれたのをきっかけに、都内に一戸建てを買われたらしくて」

「すごいですね。どんなおうちなんでしょうね」

「かなりの豪邸らしいですよ」


と、このように一見、和気あいあいと話をしているようですが、どこか空回りの様子。

どうしてでしょう?


それは、**ふたりがずっと高橋さんのことばかり話していて、お互いの話をまったくしていないから。**

表面的には盛り上がっても、これではなかなか関係が深まりません。

他人の話をしないで、お互いの話をする

共通の知人といっても所詮は他人です。最初のとっかかりとしてはいいのですが、適当なところで切り上げ、お互いの話題にシフトさせるべき。

たとえば、「ラグビー部の知人」の話でひとしきり盛り上がったら、「ラグビー、観に行ったりするんですか？」と、スポーツ観戦の話題を振ってみる。

「最近、子どもが生まれたらしい」という話から、「〇〇さんは、お子さんは？」「甥っ子が、空手を始めましてね」と話題を広げてみる。

会話内に登場するキーワードをヒントにして、なるべく自分の話、相手の話にシフトするのが、正しい雑談力です。

ポイント

共通の知人の話を続けても、関係は深まらない

05
話題の選び方

お互いが知ってる
話題を話す

知らないことを
教えてもらう

「サッカーとかって、見ますか？」

「見ないんですよ……。あ、このコーヒーおいしいですね」

「コーヒー、あんまり好きじゃなくて……。えっと、ご出身はどちらですか？」

「神奈川です」

「あ、そうですか、僕は滋賀です……」

「そうですか」


よく知らない相手との会話。なんとか共通点を見つけようとして、次々とお互いに話題を提供し合うけれど、かみ合わない、気まずい……。まさに地獄のような時間です。

ですが、**雑談において「共通点があること」はさほど重要ではありません。**

たとえば、相手がプラモデル好きだとわかったとします。ですが、あなたはプラモデルのことはまったくわかりません。

しかし、これはお手上げではなく、雑談が盛り上がるチャンスなのです。

「実は僕、プラモデルにハマってまして……」

「そうなんですか。全然詳しくないので、トンチンカンな質問をしたらすみません。昔からお好きなんですか」

「小学生の頃から好きです」

「へー！　今でも、よくつくるんですか？」

「そうなんです。土日はみっちり時間費やしてますね」

「わ！　がっつりですね。え、じゃあ、今週末も？」

「そうなんですよ。実は大きなイベントが来月に控えてて……」


最初に「全然詳しくない」と断った上で、素直な質問を投げかけると、相手が次第におしゃべりになっていくのがおわかりでしょうか。

「過去」「未来」「現在」で尋ねる

自分が知らないことを教えてもらううえで、話が広がりやすい質問の視点をお教えします。それは、「過去」「現在」「未来」にフォーカスを当てること。

①過去 「昔からお好きなんですか」「いつ始めたんですか？」
②現在 「今でも、よくつくるんですか？」「最近は、何がおすすめですか？」
③未来 「じゃあ、今週末も？」「次に狙ってる場所とかあるんですか？」

このように、時系列に沿って質問を投げかけると、話はどんどん広がっていきます。
とくに、①過去は最初の質問として使いやすいでしょう。②現在について聞くと、お互いの心の距離が縮まり、③未来の話は、スムーズに次の話題に移るステップにもなります。

これからは、相手がよく知らない話題を持ち出したら、「困った」ではなく「ラッキー」と思って、いろいろ教えてもらいましょう。

ポイント

知らないことは聞けばいい。それだけで話が盛り上がる

06
共通の話題

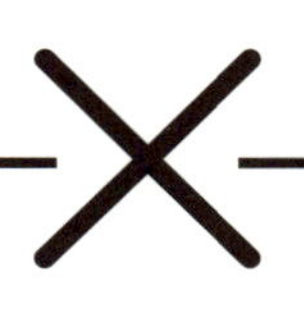

すぐに「私もです」と
アピールする

しばらく様子を見て、
相手に語らせる

「野外フェスに行くのが趣味なんですよ～」
「ホントですか？ 私もよく行くんです」
「あ、そうなんですか、えーと……」
「最近だと○○や●●に行きました。いやー、盛り上がったな～」

共通の話題が見つかると大喜びで「私も」「僕も」と盛り上がり、つい、自分の話をしたくなってしまいます。初対面であればなおさらでしょう。ですが、こうした会話はＮＧ雑談と言えます。

というのも、**結果的に相手の話を奪ってしまっている**から。

相手としてみれば自分のフェスめぐりの話をしたかったのに、いつのまにか、違う話になっている。誰しも、自分の得意とする話題をかっさらわれたら、いい気分はしないものです。

ですから、共通点が見つかってもグッと踏みとどまって、

「いつ頃からお好きなんですか？」

「フェス、いいですよね。やっぱり盛り上がるのは夏ですか？」

と相手に話を振りましょう。これが正しい雑談力です。

「How about you?（あなたは？）」をつねに意識する

とはいえ、せっかくの共通の話題、自分のことも話したくなりますよね。

聞くだけに徹していると、「ああ、教えてあげたい」「一緒に盛り上がりたい！」と、イライラ、ハラハラしてしまうはず。これはこれで、雑談に適したメンタルとは言えません。

また、知らんぷりしてずっと相手に話させておいて、全部終わってから「いや、実は私もなんです」と告白すると、相手もびっくりしてしまう。

ですからここは、

「あ、私もです！　＋　それで、それで？」

と、**共通点があることは伝えつつも、あくまで、会話の主導権は相手にゆだねるのがいいでしょう。**

そうすれば、相手も、ひとしきり自分の話をし終わってから、

「あ、すみません、自分の話ばっかりしちゃって。どのアーティストが好きなんですか？」

とボールをこっちに渡してくれるはずです。

これはこちらが先に自分の話をたくさんしてしまったときも同様です。**「How about you?（あなたは？）」と、必ずマイクを順番に交換するようにしましょう。**

雑談は、相手と一緒につくり上げるもの。

どちらかがずっと話して、どちらかがずっと聞く、という状況にしないことが、超雑談力の極意です。

ポイント

相手の話題は相手のもの。泥棒してはいけない

07
好きなもの・ことについて

あたりさわりのない雑談をしていたつもりが、いつのまにか論争に巻き込まれてしまった。そんな経験、あるのではないでしょうか。

「この間、ラーメンZ郎に初めて行ったんですよ」
「Z郎って人気があるけど、ラーメンの味わいを楽しむにはいまいちですよね」
「いや、そんなことはないと思うんですけど……」
「いや、やっぱりラーメンはあっさり醤油系に限りますよ」
「そうとばかりは言えないいんじゃないですか」
「いやいや、ラーメンと言えば……」
「……(もう話したくない)」

「ラーメンの話なんてするんじゃなかった」と後悔したくなるところですが、そもそも、雑談なのに、あなたのひと言めを否定し、ラーメン談義をふっかけてきた相手がルール違反。自分の意見を押し通す、相手を説き伏せるような話し方はNGです。

雑談で交わすべきなのは、「はっきりとした意見」ではなく、「なんとなくの好み」です。

「この間、ラーメンZ郎に初めて行ったんですよ」

「あー、こってり系、好きなんですね？」

「普段は食べないんですけど、そのときは無性に食べたくなって」

「わかります。醤油系もいいですよねー」

「ああ、いいですねー」


このように、ただ「好み」についてふわふわと言い合うのが、雑談のあるべき姿。

なぜかというと、こういう話には「正解がない」から。**正解がないので、話に勝ち負けがつかない。だから殺伐としないのです。**

食べ物の好き・嫌いの話は鉄板ネタ

基本的に**食べ物の好き・嫌いは、誰も傷つかない、でも人柄が出やすい話題なのでおすすめ。**僕も頻繁に使っているコツです。

「にんじんが嫌い」「キュウリが嫌い」など、**子どもみたいな好き嫌いの話は、初対面の相手でも必ず盛り上がる鉄板ネタ**です（中にはアレルギーの人もいるので要注意）。

それでも、冒頭の例のように、議論や説教をしたがる人がいます。

ラーメンの話をすれば、「カロリー高いよ」と注意してくる。にんじんが苦手と言えば、「好き嫌いはよくないよ」と説教してくる。こうした「なんでも言い負かしたい人」「マウンティングに必死な人」に出くわしたときは、どうすればいいでしょうか？　正解は〝逃げるが勝ち〟です。

「あ、そうですねー、勉強になります」
「参考になりました。ありがとうございます！」
「たしかに。恐れ入ります」

感謝の言葉とともに、その場から一刻も早く退却しましょう。

ポイント

「好き・嫌い」の話をする。「いい・悪い」の話をしない

08

自己開示

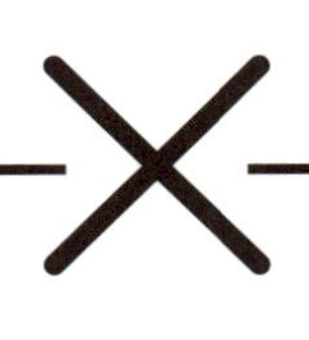

とことん質問をして、
相手に話させる

少し自分の話をして
から、また話を戻す

雑談は基本的に「相手に気持ちよく話させる」ぐらいのほうがいいわけですが、これにも限度があります。

まったく自分の話をせず、ひたすら質問ばかりしていると、相手は不安になります。

「自分ばかり話していて気まずい」「なんだか腹の内を探られているようで疲れる」と気を使わせてしまうのはよくありません。

興味を持って相手の話を聞いていたら、ついつい自分の話もこぼれてしまうもの。適度に自己開示するのが、自然です。**「聞いてばかりだな」と自分で気づいたときには、「少しだけ自分の話をして、すぐに相手に会話のバトンを戻す」を実践しましょう。**

「河口湖の周辺にいいキャンプ場があるんですよ」

「河口湖のあたり、素敵ですよね（共感）。私はドライブでしか行ったことがないんですが（自己開示）、キャンプも楽しそうですね（相手に戻す）。以前からよく行かれるんですか？」

「そうですね。最初に行ったのは学生時代だったかな」

相手から「河口湖」というワードが出たときに、河口湖ドライブの経験を思い出し、そのことを相手に伝えます。ただし、そのまま自分の話を続けるのではなく、「キャンプも楽しそうですね」と相手の話題に戻す。このバランスです。

そのほかにも**「私はよく〜しちゃうんですけど（自己開示）、そういうことってないですか？（戻す）」「僕、最近〜だなあって思うんですよ（自己開示）。そう思いませんか？（戻す）」**といった言い回しも使えます。

「盛り上がりすぎましたね」でクールダウン

ときには、相手がやたらと盛り上がってしまい、お構いなしにしゃべりまくる……という場面に直面することもあるでしょう。

相手がなかなかこっちにバトンを渡してくれない。ずっと聞いているのも疲れた……。こうした事態から逃れるために身につけておきたいのが、クールダウンのコツです。

「いやー、お話がおもしろくてすっかり時間がたっちゃいましたね」
「楽しかったなあ、盛り上がりましたね」

と、前向きにこれまでの会話を振り返るのです。

すると、相手もハッと我に返って、こちらにバトンを渡してくれるでしょう。あるいはそのタイミングで、「ありがとうございました。またよろしくお願いします」と続ければ、話を切り上げることができます。

「そろそろ……」とさりげなく終わらせるより、潔くて印象もいいので、覚えておいて損はありません。

ポイント

「3割自分の話、7割相手の話」がベストバランス

09

しぐさ

手持ち無沙汰に
腕を組む

身振り手振りを
大きくする

緊張したり、手持ちぶさたになったりすると、無意識のうちに腕を組んでしまうことがあります。実はこれは、雑談をさまたげる最悪のジェスチャーです。

腕を組むのは「防衛」のサイン。つまり、相手に「これ以上、こちらの領域に入ってくるな」というメッセージを送る行為です。

また、腕を組んでしまうと、必然的に体から動きがなくなります。顔でいえば、まったくの無表情で話を聞くようなもので、相手としては話しづらいことこの上ありません。

では、どうすればいいでしょうか。

これは僕自身も心がけていることですが、**「絶対に腕は組まない」と決め、話しながら意識的に手を動かします。**

「永田町はあっちの方角かな？」と、右手をパッと斜め上に動かす。「この間食べたハンバーグが、これぐらいの大きさで」と両手を使って示す。といった要領です。

相手に「身振り手振りが大きいですね」と笑ってもらえたら、こっちのものです。

さらには、目線も意識的にコントロールしたいもの。

基本は、相手の口元あたりをみるようにするのですが、これにも理由があります。

目を見ずに、口元を見る

相手の目を見ずに話すと、相手の不安をかきたてますし、「どこか信用がおけない」という評価につながりがち。かといって、欧米人のように目を直視すると、相手を戸惑わせる場合もあります。

ですから、ほどよく目線を合わせているけれど、緊張を強いない。そういう日本人的なマナーこそが、「口元あたりを見る」というコツです。


目線でいうと、「会話の途中で目線を外していいものかどうか」というのも難しい問題。

僕自身はどちらかというと会話の途中に、ときおり目線を外すほう。ずっと見つめているよりも、ふっと気が抜ける瞬間があるほうがラクだと感じています。

ただ、このあたりは好みのレベル。「腕を組んで拒絶をアピール」さえしなければ、目線については神経質にならなくてもＯＫです。

「目線に気をつけなきゃ」「腕は組んじゃダメ」と考えすぎると、その緊張は相手にも伝わりますから、むしろ自分がリラックスして話せるスタイルを探るほうが会話が弾みます。

ちなみにあえて「腕を組む」という作戦もあります。

それは、相手を遠ざけたい場合。おかまいなしにずけずけと踏み込んでくるような相手には、「腕を組む」ことで、不快感を暗にアピールできます。

あいづちや表情、ジェスチャーを通じて距離感をコントロールできるようになれば、雑談力がアップした証拠です。

ポイント

距離をとりたい相手には、あえて腕を組んで拒絶する

10

あいづち

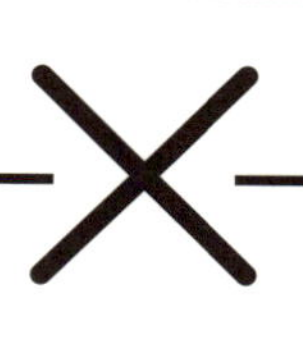

「さ・し・す・せ・そ」で
あいづちを打つ

「あ・い・う・え・お」で
リアクションする

女性が男性にモテるためには、「さ・し・す・せ・そ」を意識したあいづちを打つ、というテクニックがよく知られています。つまり「さすが」「知らなかった」「すごい」「せっかくだし（センスいいですね）」「そうなんですか！」という言葉を返すべし、ということ。こうすれば、男性が喜んでくれて、結果的にモテにつながるという理論です。

ですが、これは雑談力の視点では、あまりおすすめできません。

「媚びてるように見える」とか「使う場面が限られる」以外にも大きな理由があって、それは、**「いざというときに、とっさに出ない」ということ**（笑）。

「寒くなってきましたねー」
「最近、子どもがプログラミングを始めたんです」
「転職を3回してるんですけど」

こういった話題を相手が持ち出してきたときに、とっさに「さ・し・す・せ・そ」のどれを言えばいいかわからなくなりませんか？「さすが、かな？すごい、かな？せ、は何だったっけ？」と考えているうちに、あいづちを打つチャンスは去ってしまう。意外と難しいのがこの「さ・し・す・せ・そ」のあいづちなのです。

そこで、僕が代わりにおすすめしたいのは、ズバリ「あ・い・う・え・お」です。つまり、

「あー!」「いいですねー」「うーん」「ええ!?」「おーーー!」

の5ワード。

あいづちよりもリアクションのほうが簡単

——「寒くなってきましたねー」

「あー、そうですねー」


——「最近、子どもがプログラミングを始めたんです」

「おー!! プログラミング!」


——「転職を3回してるんですけど」

――「えー、3回ですか？」

相手が何かを言ったら、**「あー！」と納得し、「いいですねー」と共感し、「うーん」と考え込み、「ええ⁉」と驚き、「おーーー！」と感嘆する。**

冗談のようですが、実際たったこれだけのことで、相手としてみれば「興味を持ってもらえている」とうれしい気持ちになります。

話しやすいし、「気が合いそうだ」と自然と好意も持たれるのです。慣れてきたら、ちょっと目を見開いたり、手を打ち鳴らすなどのアレンジを加えてみましょう。

気の利いたあいづちを打とうと考えるよりも、まずは「あ・い・う・え・お」で大きなリアクションをする。モテの場面でも有効なテクニックです。

ポイント

うまいあいづちよりも、とりあえずリアクション

11

困った話題の対処法

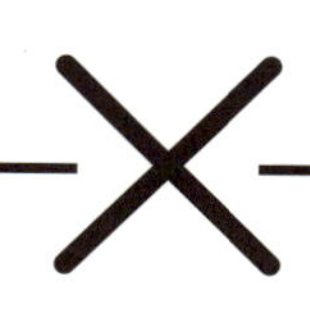

「それは違うんじゃないですか」と反論する

「ありがとうございました」と話を終わらせる

初対面にもかかわらず、やたらと説教じみたことを言ったり、自分の意見を押し付けてきたりする人、いますよね。そのとき、どのように対応するのが正解でしょうか。

「お言葉を返すようですが……」

「ご意見はごもっともだと思いますが……」

と、つい反論したくなるかもしれません。けれどなんとか、ここは反論せずに済ませたいところです。

なぜなら、**反論することでその話が終わらなくなってしまうから。**むしろ、相手の闘争心に火をつけ、本格的なケンカが始まってしまうかもしれません。面倒なことになったと後悔しても、あとの祭りです。

仮に相手を言い負かせたとしても、それはそれで面倒。「人前で恥をかかされた」と恨まれてしまう。

では、どのようにリアクションすればいいのでしょうか。

正解は「××さんはどう思います?」と、他の人に話をふって、自分だけに向けられた矛先をそらすことです。

複数で話していた場合はもちろん、もともと、ふたりで話していた場合でも、通りがかった人を呼び止めるなどして仲間を増やすのが有効。

こうすれば、最悪の事態はまぬがれます。

しかし、もう1ランク上を目指すなら、**「今日はありがとうございました」と話を終わらせることをおすすめします。**

誰しもお礼を言われると、悪い気持ちはしませんから、感じよく会話の終了を相手に知らせることができます。

「ありがとうございました」で強制終了

「今日はありがとうございました!」と言われているのに、「それはそうと、僕の意見としては〜」と話し続ける人はまずいません。話し足りないと思っても、そこで話をやめざるをえなくなる万能フレーズです。

セットで覚えておくと便利なのが「またお願いします」。

もしも相手が相当しつこいタイプで、「今日はありがとうございました」と言ってもなお、粘られたとしても、「またお願いします」とダメ押しすれば、会話は終わります。

これは、**ずっとひとりの人と話していて飽きてしまったときや、どうしても会話が弾まなくて逃げ出したいときにも使えるテクニック。**便利に使いましょう。

ポイント

困った会話は「お礼」を伝えて切り上げる

12

心構え

性格を変えて「陽キャ」になる

単に社交のコツを実践する

明るく元気で常に社交的な性格。他人に興味を持って生き生きと話す。そういう「陽キャ（陽性の明るいキャラ）」になろうとするのは、間違った雑談力です。

人の性格なんて、簡単には変わりません。**無理に社交的な性格を目指さなくても、テクニックさえ身につければ、雑談はうまくいきます。**人見知りな「陰キャ（陰のある暗いキャラ）」でも、雑談力は身につけられるのです。

性格ではなく単なるコツの問題ですから、必要なのは、「慣れ」ということになります。

たとえば、エレベーターに乗る機会があったとき、同乗者に「（降りるの）何階ですか？」と聞いてみましょう。このひと言、言えるか言えないかが、雑談力アップのカギです。なにもその人と、親しくなる必要はありません。表面的にあいさつをし、エレベーターの階数ボタンを代わりに押してあげるだけです。最初は緊張するかもしれませんが、しばらく続けているうちに慣れてきます。

これでもハードルが高い人は、コンビニや飲食店で「ありがとうございましたー」と言ってくる店員さんに対して、「どうもー」とつぶやいてから店を出ましょう。なにも

「ごちそうさまでした、また来ます！」と快活に言う必要はありません。「どうもー」、このひと言で十分です。

そうやって、**「適当に声を発する」「どうでもいい相手に、どうでもいい言葉をかける」をしていくうちに、「なんとなく会話を続ける」メンタルが身についていくのです。**

モテない陰キャの末路は？

僕自身、学生時代は陰キャでした。無愛想だけど、プライドは高い。当然モテない。そういう、どこにでもよくいる青年でした。

飲食店でアルバイトを始めたはいいけれど、「いらっしゃいませ」のひと言がどうしても言えなかったのをよく覚えています。当時は自意識過剰で、そういう言葉を発するのがとにかく恥ずかしかったし、どうすればその状態を脱出できるのか、見当もつきませんでした。

友達に「慣れだよ」と言われても、そんなのは嘘だと思っていました。が、実際に社会に出て、知らない人と触れ合う機会が増え、会話に慣れてみると、そこそこのレベルにはいけることを知りました。コミュニケーションなんて、そんなものです。

ちなみにその結果、性格も明るくなったかというと、そんなことはありません。オタクで内気なところは変わらないままです（笑）。

繰り返しになりますが、性格は変えなくていい。

必要なのは「コツ」と「慣れ」です。雑談の「作法」をマスターすれば、誰でも雑談上手になれるのです。

ポイント

陽キャになる必要はない。単に慣れればいいだけ

3章

超雑談力

知人／飲み会編

人づきあいがラクになる！

13

悩み相談を受けたとき

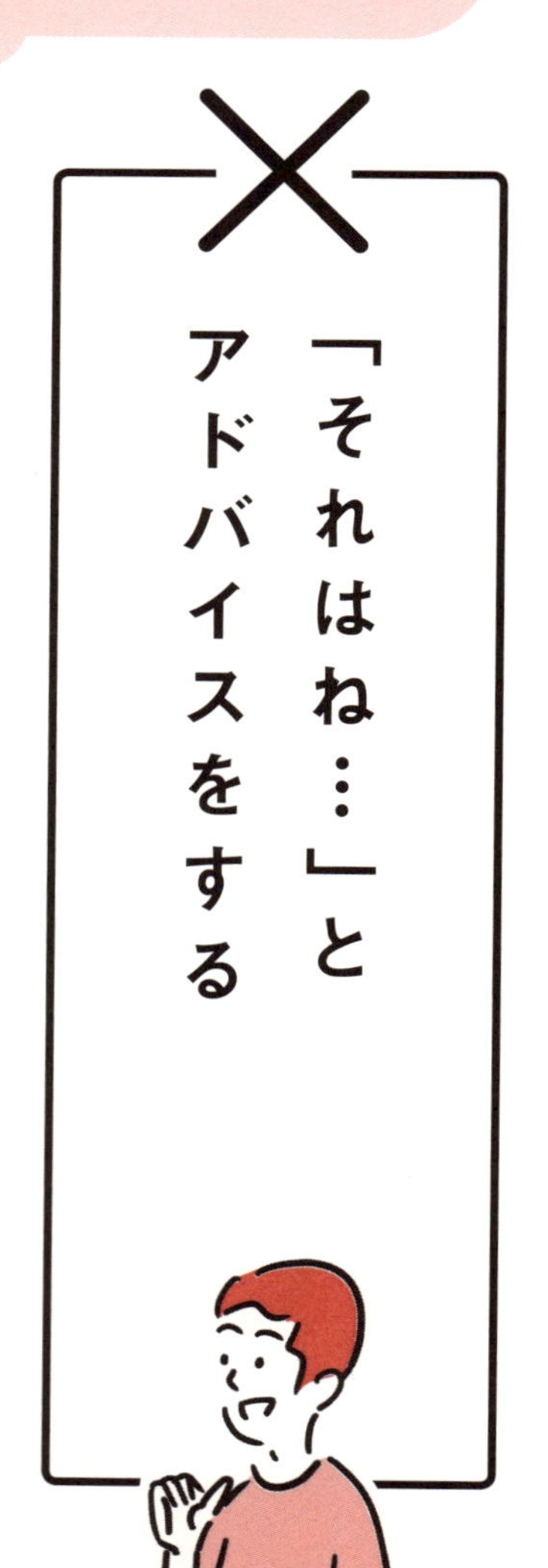
×
「それはね…」と
アドバイスをする

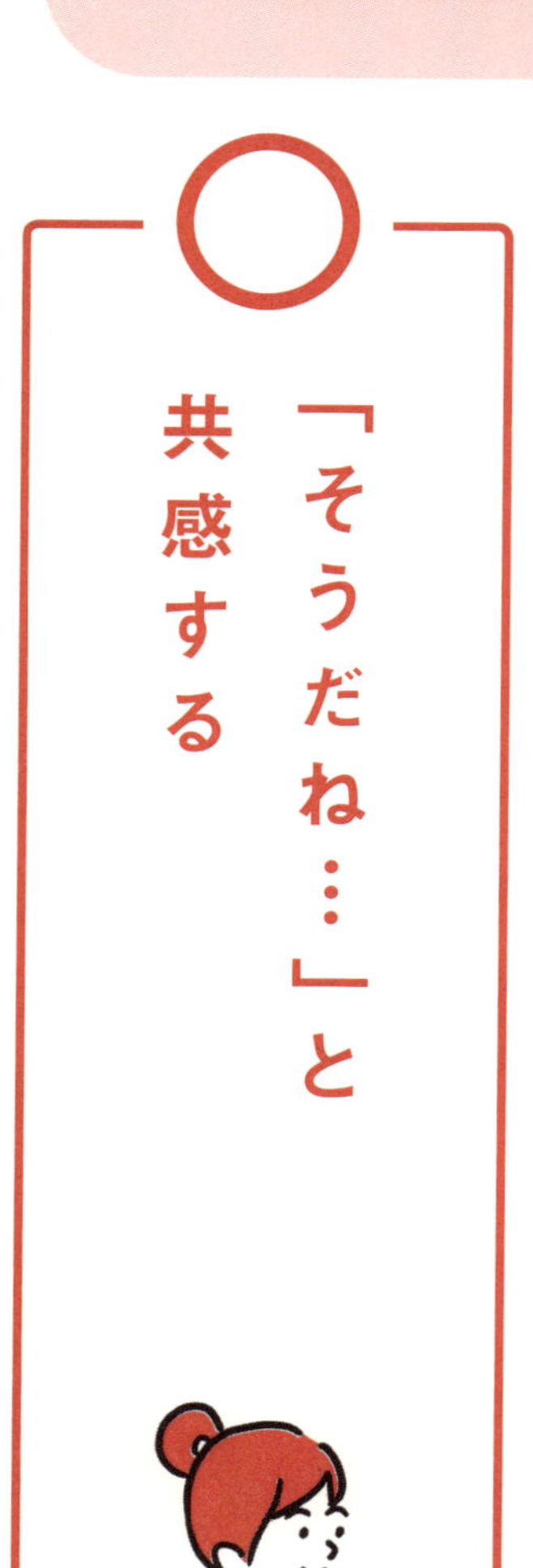
○
「そうだね…」と
共感する

「うちの子ね、習いごとに行く時間になると、いつも直前で『トイレに行きたい』とか、『ちょっと今日は調子が悪い』なんて言い出すの」

「あー、それね。うちも5歳ぐらいまではそうだったけど、今は言わなくなったよ。あんまり真面目にとり合わないほうがいいんじゃない？」

「あ、うん、いや、それはそうなんだけど……」

雑談においてアドバイスは、禁物です。

「ちょっと困ったことがあって……」「最近、悩んでいてね」などと一見、相談かのような会話は世にあふれています。

ところがほとんどの場合、相手はただただ、話を聞いてほしいだけ。

アドバイスをして解決してしまったら、そこで話はおしまいになってしまいます。「あんなことも話したかった、こんなことも話したかった」と相手はストレスをためることになります。

そして「まあ、それはそうなんだけど」と、同じ話を続けることもしばしば。そうすると、アドバイスしたほうとしては、「なんだよ、せっかくいい方法を教えてあげたのに」と、こっちもストレスがたまる。

結局、するほうも、されるほうも、得しないのがアドバイスなのです。

そもそも**「悩み相談のほとんどは、すでにその人の中で答えが出ている」というのは常識中の常識。**仮に「相談にのってほしい」「助言してほしい」と直接言われた場合でも、「難しいねえ」「困るよね」と、最低3回ぐらいはかわして様子を見るのがいいでしょう。

語尾に「よね」をつけるだけで、共感口調になる

相手の愚痴や相談に対しては、ひたすら共感し、気持ちよく話してもらう。これが正しい雑談力です。

「うちの子ね、習いごとに行く時間になると、いつも直前で『トイレに行きたい』とか、『ちょっと今日は調子が悪い』なんて言い出すの」

「ねー」

「嫌なら嫌って言えばいいのに、ほんと困っちゃう」

「わかるー」

「夫は『小さいうちはのびのび育てたい』なんてのんきなことを言っていて」
「ほんと、ほんと」

――

心を無にして、何も言わないと決めて、「ねー」「そうだね」「わかる」とだけ言っていればOK。なぜか「話しやすい人」「気が合う人」という好評価を得られるはずです。
ちなみに、語尾に「よね」をつけると、それだけで、共感度の高い雑談口調になります。

× 「ほうっておけばいいよ」　○「ほうっておけばいいよね」
× 「苦手なんです」　○「苦手なんですよね」
× 「それは違う」　○「それは違うよね」

こちらもぜひ試してみてください。

ポイント

「わかる」「たしかに」「よね」だけで雑談は成り立つ

14
不安にさせない話し方

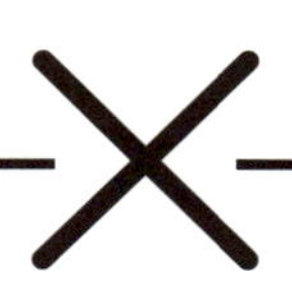

見切り発車で話し始める

「オチはないけど」と最初に言ってしまう

こちらはとりとめのない雑談をしているだけなのに、うまいオチや、納得のいく結論を求める人は多いものです。そういう人たち相手に話すときには、ちょっとした工夫が必要になります。

自分が話す順番が回ってきた、エピソードは思いついた、でも、オチは見えない。そんなときは、どうすればいいのでしょうか。

ゴールが見つかってから話そうと思っていると、なかなか話を始めることができず、そのうち、場が盛り下がってしまいます。

かといって、見切り発車で話を始めてしまうとあとが苦しくなります。途中でオチが見つかれば……という願いもむなしく、話はあっちへうろうろ、こっちへうろうろ。

実は、こうした事態は簡単に避けられます。話の最初に、こう宣言すればいいだけ。

「全然オチのない話なんですけど、いいですか？」

不思議なもので、こう聞かれて「オチがない話ならやめてください」と答える人はいません。たいていは「どうぞどうぞ」と笑いながら歓迎してくれ、しかもオチがなかったとしても「やっぱりオチがなかったですね」とにこやかに受け入れてくれます。

話すほうも宣言してしまうことで、リラックスしていますから、話はスムーズに進み、結果的に周りの人が着地点を見つけてくれることもあります。

「超どうでもいい話なんですけど」「くだらない話、していいですか？」という切り出し方も同様の効果があります。

「ネタバレ技法」で相手を安心させる

この「話の結末を先に言ってしまう」、いわゆる「ネタバレ」の話術は、さまざまな雑談シーンで応用が利きます。

たとえば、

「うちの会社で本当にあった、人事にまつわる怖い話していいですか？」
「実家で飼ってる犬がほんとにバカだっていう話なんですけど」
といった具合です。

相手からすると、何の話かわからない状態で聞かされるよりも、結末が見えているだけ気がラク。笑っていいのか、心配すべきなのか、どう転ぶかわからない話を聞くのはストレスがかかります。ある程度心の準備をしながら聞く場合には、気持ちにゆとりも生まれるので、多少すべっても温かく見守ってくれるのです。

逆に、「ちょっとおもしろい話があって」「このあいだ、爆笑したエピソードなんですけど」とハードルを上げるのは、避けたほうがいいでしょう。

ポイント

どういう話かを先に言ってしまえば、相手も自分も安心する

15

イメージのわく話し方

「その人」「その場所」
と指示代名詞を使う

「Aさん」「鎌倉」と
あだ名・固有名詞を使う

「この間、元彼に偶然、会っちゃってさ」

「ああ……こないだ別れた証券会社の彼？」

「違う、違う。3年前ぐらいにつき合ってたアパレルの人」

「あ、そっちね！」

「で、その彼がね、私の知り合いの女の子と一緒にいたの。でもその場所ってのが、前に私と行ったことがあるカフェで。あ、そのカフェって、もともとは私が昔からよく行ってたお店なのね。会社が近いからなんだけど」

「えーと。その彼は、どこに勤めてるんだっけ？」

「え、だから」


こういう話に巻き込まれて、イライラしたことはありませんか？　登場人物が多いし、「元彼」「知り合いの女の子」「そのカフェ」などあいまいな呼び方も交じってくるので、いっこうに全体像がつかめません。

こういった「わかりにくい話」もまた、つらい雑談のひとつです。

こうならないためには、できる限り、**雑談の中で「これ」「あの」などの「こそあど」**

言葉＝指示代名詞を使わない（使わせない）ようにすべきです。

登場人物には名前と写真を用意

「この間、元彼に偶然、会っちゃってさ」

「ああ……こないだ別れた〝証券マン〟？」

「違う、違う。3年前につき合ってたアパレルの人」

「あ、そっちね！　で、その〝アパレル君〟がどうしたの？」

「で、アパレル君がね、私の知り合いの女の子と一緒にいたの」

「名前は？　何ちゃん？」

「さとみ」

「〝さとみちゃん〟ね」

「でもその場所ってのが、前に私と行ったことがあるカフェで。あ、そのカフェって、もともとは私が昔からよく行ってたお店なのね」

「〝思い出カフェ〟なわけだ」

——「そう、その〝思い出カフェ〟に、さとみとアパレル君が仲よさそうにいて」

このように、**相手が知らない人の話をするときは、できるだけ名前もセットで話します。**実名を言うと差し障りがあるようであれば、即興であだ名をつけましょう。
また、卓上のグラスや調味料入れを登場人物に見立てて相関図を整理すると、よりわかりやすくなるし、動きも出るのでおすすめです。
もし見せても構わないなら、その人の写真も見せると、聞いているほうが飽きません。
複数人で話していてひとりだけが知らない人の話（内輪話）をするときや、自分が推しているアイドルや芸能人、スポーツ選手の話をするときにも、便利なテクニックです。

「わかりやすく」「具体的に」「イメージしやすく」という、「聞かせるための工夫」を、普段の会話以上に心がけてください。

ポイント

イメージが湧かないと、人は話に飽きてしまう

16

答えやすい質問①

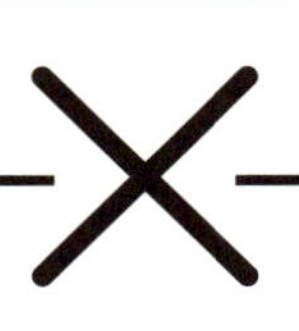

「なにかこだわってるんですか？」と聞く

「なにか特別なことしてるんですか？」と聞く

「なにかこだわってることあるんですか？」
「どんなところに、こだわってるんですか？」

相手が打ち込んでいること、凝っているものについて質問するのは、話が盛り上がるきっかけになります。間違いなく熱量の高い話になるからです。

ですが、それを「こだわり」という言葉で質問するのは、避けましょう。

「こだわり」は「趣味」同様、扱いが難しい言葉。どの程度がこだわりかは人によります。

たいていの場合、聞かれたほうは「いや、こだわってるっていうほどのことは……」「こだわりっていうわけでは……」と、口ごもってしまうことに。

さらには、「『こだわっていますね』と言われると、バカにされているように感じる」という人も。

では、目の前の人が、熱心に打ち込んでいるジャンルについて話したそうな場合、どのような質問をするといいのでしょうか？

「こだわり」ではなく「習慣」を聞く

こちらも、趣味のとき同様、具体的な質問をして上げると、相手は答えやすくなります。


「すごくお肌がきれいですけど、何か特別なことをやってるんですか？」

「実は最近、野菜ジュースに凝ってて」

「え、どんなのですか？　手づくりですか？　市販の？」

「それがね……」


「ゴルフを20年もやってらっしゃるんですね。続けるための心がけってあるんですか？」

「どうだろう。クラブはいいのを使うようにしてるよ」

「わー、やっぱりそうなんですね。使い心地、違いますか？」

「そりゃ、違うよ。最近買ったやつなんてね……」

このように「こだわり」ではなく「習慣」を聞くようにします。

逆に、「こだわりは？」と聞かれたときには、「こだわりっていうほどのコトは……」「別にありませんよ」と話を切ってしまわないようにしたいもの。

「なにか話のとっかかりが欲しいんだな」と意を汲んで、「普段していることは何かな？」「特別な習慣あったかな？」と自分に問いかけて、答えてあげるようにしましょう。

「趣味」は「過去・現在・未来」で答える（尋ねる）。
「こだわり」は「習慣」で答える（尋ねる）。

いずれも話をスムーズに続けるための鉄則です。

ポイント

「こだわり」よりも「なにか特別なこと」のほうが答えやすい

17

答えやすい質問②

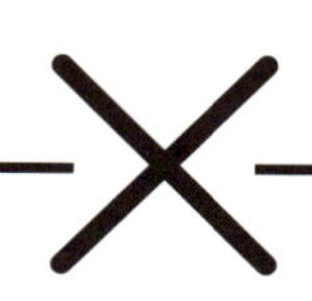

「なぜ（WHY）？」と
理由を尋ねる

「どう（HOW）？」と
状況や気持ちを尋ねる

よかれと思ってやってしまうNG雑談のひとつに、「『なぜ？』と理由を尋ねる」があります。


「この間、うっかり電車の中で寝過ごして終点まで行っちゃったんですよ」

「どうして寝過ごしたんですか？」

「え？　ああ、えーっと……ちょっと飲み過ぎたからですかね」

「なぜ、そんなに飲んだんですか？」

「あ、いえ、久しぶりに学生時代の友人と会って、つい……」


質問したほうに悪気はありません。むしろ興味があるからこそ、尋ねている。ですが、質問されたほうとしては、うまく話せなくてストレスが溜まります。いちいち会話がそこで止まり、本当に話したいことを話せない。結果として、盛り上がらない雑談になってしまいます。

理由を尋ねられた瞬間、人の気持ちはすっと冷めます。「なぜだろう？」と理由を考えて、頭が冷静になるからです。だから、「気持ちをやり取りする雑談」には、とても不向きな質問というわけ。

たとえば、「苦手な食べ物」の話題で、こちらが「ピーマンが苦手なんだよね」と伝えたとき、「どうして嫌いなの？」と聞かれると、困りませんか？

たいていの人は「いや、とくにこれといった理由は……」などと口ごもりながら、いっしょうけんめい理由を考えることでしょう。この**「考える」というステップが雑談の大敵です。考えれば考えるほど言葉は少なくなり、場の空気は重くなります。**

また**「理由を尋ねる」という行為は、それだけで少し批判的に聞こえてしまうのもよくありません。**お母さんがいたずらした子どもを叱るときの、「なんでこんなことしたの⁉」と一緒ですね。聞かれたほうが「あれ？　なにかまずかったかな？」と不安になってしまうので、これまた雑談には向いてないというわけです。

「ＷＨＹ」ではなく「ＨＯＷ」で尋ねる

雑談では「お互いが深く考えることなく話し続けられること」が重要です。
ですから、**質問するなら「ＷＨＹ」（なぜ）ではなく「ＨＯＷ」（どのように）を心がけましょう。**

たとえば、「うっかり寝過ごして終点まで行ってしまった」に対して質問するなら、「一度も起きなかったの？」「目が覚めたとき、びっくりしなかった？」と尋ねます。

さきほどの「ピーマンが苦手」についても、「どれぐらい？」という質問であれば、「みじん切りにしてあってもすぐ気づくぐらい苦手」「火が通してあればまだ大丈夫だけれど、サラダに入っているとお手上げ」など、ぐいぐいと話題が広がります。

話を盛り上げたかったのに、「なぜ？」を連発したせいで場は盛り下がり、相手から「めんどくさい人」と思われる。そんな悲劇を生まないよう、理由を尋ねるのは最小限にとどめましょう。

ポイント

「ＷＨＹ」は心を閉ざし、「ＨＯＷ」は心を開く

18

盛り上がる話し方①

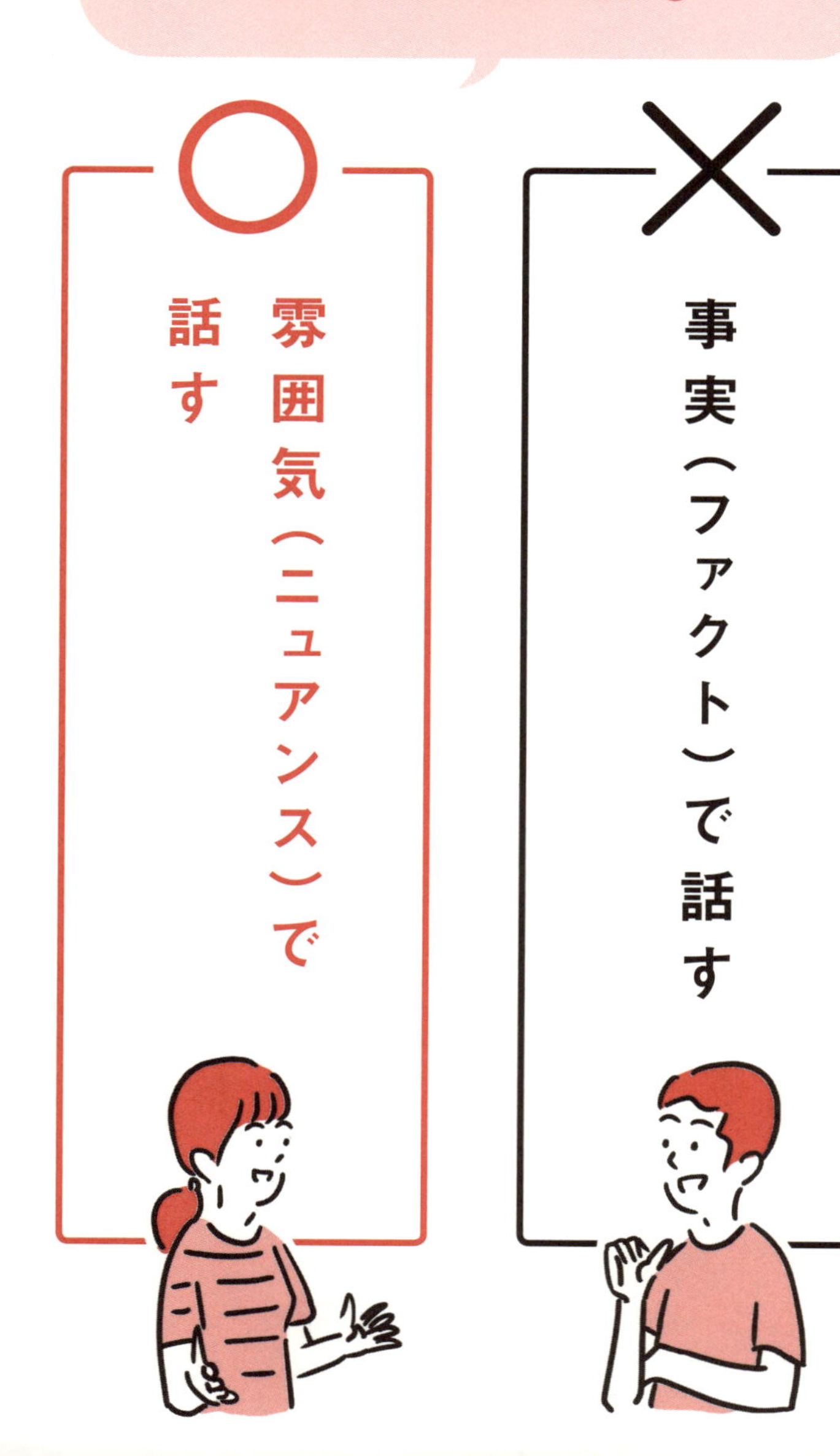

×
事実（ファクト）で話す
○
雰囲気（ニュアンス）で話す

「おいしいから」と友達に誘われて行ったレストラン。実際に行ってみたら「まあまあおいしかったけど、それほどでもない」と思ったとします。
後日、飲み会の場でその店の話題になり、「どうだった？」と感想を聞かれたら、あなたはどう答えるでしょうか。

そこで、「それほどでもなかった」と正直に言うのは、正しい雑談ではありません。「他の人が行ってがっかりすると気の毒だから、できるだけ正確に伝えるべき」と、思ったとしても、そこまでの正確性は求められていない。

その場は「おいしかった、おいしかった」と話を合わせましょう。そうすることで、あなたもその場の仲間も、失うものはありません。

とくに、料理の味なんてものは、体調や一緒に食べる相手で、だいぶ印象が変わってくるもの。どうせあいまいなものなのですから、あいまいなままにしておくのが、正解となります。

逆に言うと、そういうあいまいな話では済まないことは、話題にすべきではありません。たとえば、災害の被害者数。たとえば、会社の業績。たとえば、子どもの塾の成績。

繊細に扱うべきもの、白黒はっきりする話題は、雑談にはふさわしくない、避けるべきと覚えておきましょう。

「わからない言葉」はニュアンスで受け止める

たまに雑談の場で、よくわからない言葉が飛び交うことがありますね。たとえば久しぶりに会った学生時代の仲間との飲み会。

「最近、うちの上司がやたらとＫＰＩ（ケーピーアイ）にうるさくて困るんだよ」

「わかるー！　うちもリーダーがふた言めにはＫＰＩって大騒ぎしているよ」

もしここで、あなたが「ＫＰＩ（組織の目標を達成するための重要な業績評価の指標）」という言葉の意味がわからなかったとしても、ふわふわと、話を合わせておくのが、雑談としては正解です。

ＫＰＩについて論じることではなく、**「『ＫＰＩ』へのやっかいな気持ち」をみんなでなんとなく共有することが、その雑談の目的だからです。**

逆に、話題がシリアスな職場の悩みになりそうになったら、「ごめん、さっきからわからずに聞いてたんだけど、ＫＰＩって何？」と白状すると、その場が笑いに包まれ、雑談にふさわしい雰囲気が戻ってくることになります。

ポイント

雑談はニュアンス重視。細かいことは気にしない

19

盛り上がる話し方②

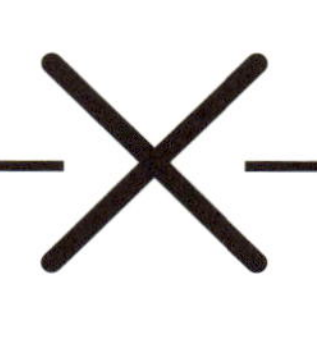

的確なツッコミを入れる

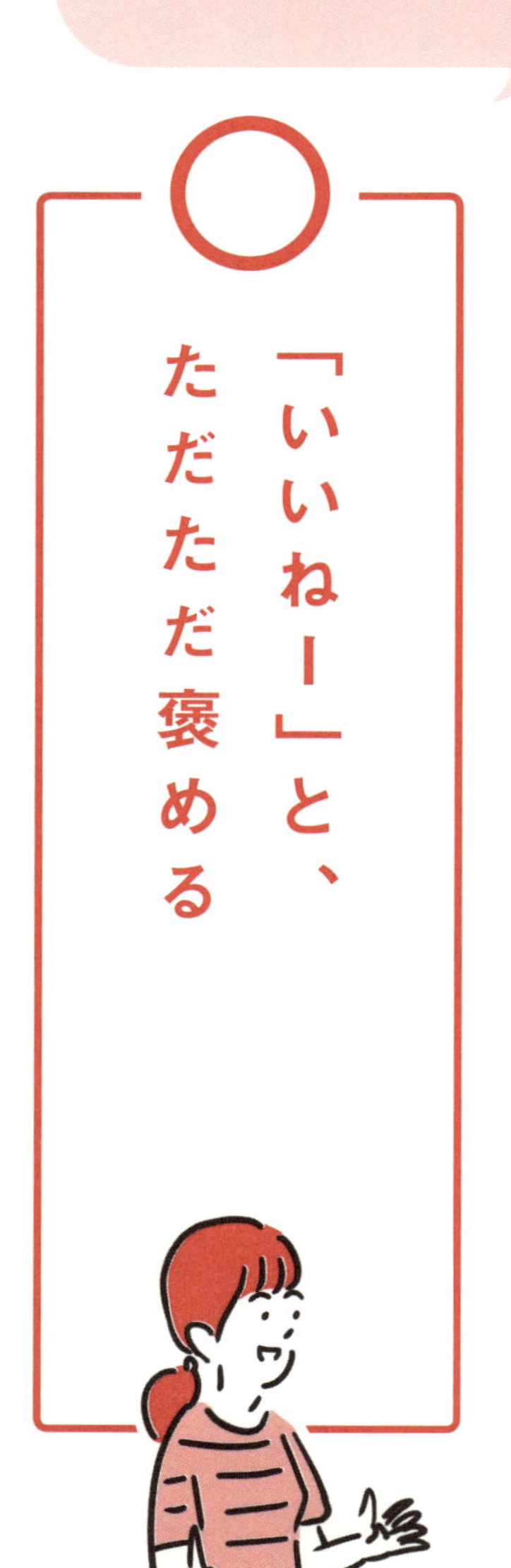

「いいねー」と、ただただ褒める

話を盛り上げようと、相手の話にばしばしツッコミを入れるのは、間違った雑談です。

たとえば、相手が「クラシック音楽が好きで、中でもショパンが大好き」と言ったとき、場を和ませようと、「ショパンってチョピンって読めますよね？」と茶々を入れたり、「クラシックか〜。上流階級って感じ！」といじったり。

それらの多くは残念ながらすべります。変にがんばったせいで、場の空気はかえって冷ややかなものに。

お笑いブームのおかげで、ツッコミという言葉がよく知られるようになりましたが、これはとても難しい技術。素人が簡単にマネできることではありません。下手にやると「寒い人」と評価を下げることに。

では、どうすればいいのでしょうか？

ツッコミを入れるヒマがあったら、きちんと「褒める」クセをつけたほうが、よほど話は盛り上がります。

「クラシック音楽が好きなんです」

「あー、クラシック。いいですよね。全然詳しくないんですけど、どういう曲が好きなんですか」

「いろいろありますけど、一番好きなのはショパンの『夜想曲（ノクターン）』ですね」

「わー、素敵な曲名ですね。それって、どんな曲なんですか？」

「え、聞いてくれます？　それがですね、ショパンってほんとに天才で……」

「褒め」は最強無敵のリアクション

「いいですね」「素敵ですね」「かっこいいですね」「すごい」……。褒め言葉はなんでもOK。もちろん、うわべの言葉でもかまいません（笑）。

とにかく**「あなたの話を好意的に受け止めています」ということが伝わりさえすれば、それでいいのです。**ですから、

——「ラーメン店めぐりが趣味でして」

――
「へー、なんだか、かっこいいですね」
「え？ かっこいいですか（笑）？ ま、いいや。で、今気になってるのが……」

と、多少見当違いな褒め言葉でも、話は盛り上がります。

変にツッコミを入れたり、あいづちを打つよりも、無理にでも褒めておけば、相手は話を続けたくなる、というわけです。

「嘘くさい」とか「思ってないことは言えない」などと正論を振りかざすことなく、まずは好意的なリアクションをしましょう。

雑談とは、そういう「ポジティブな気持ちのやり取り」のことなのですから。

ポイント

「すごい」でも「かわいい」でもなんでもいいので、ただ褒める

20
話のリズム

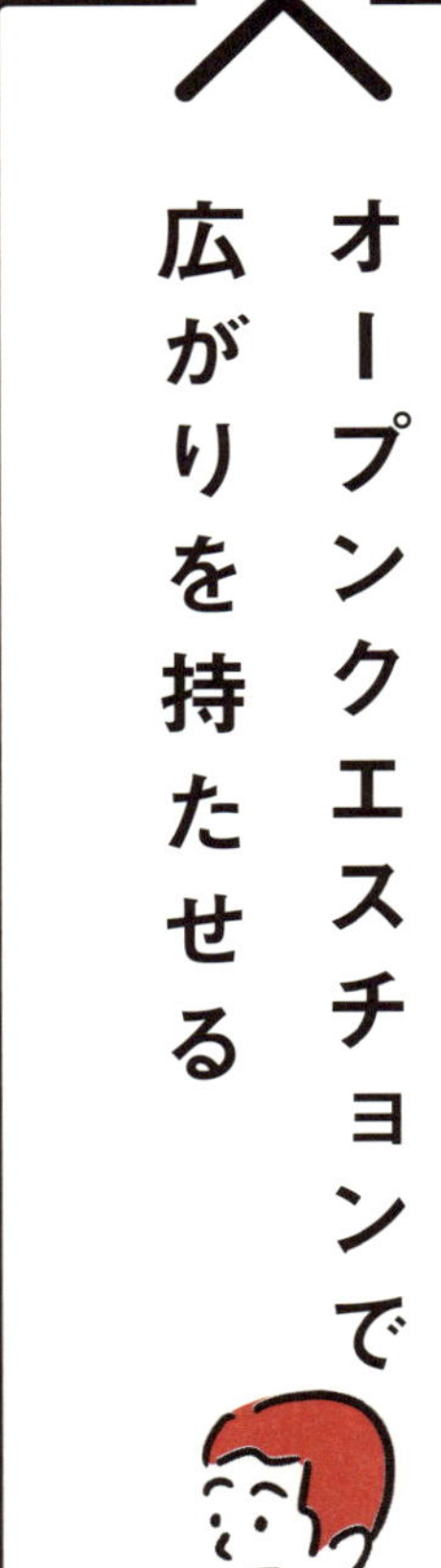

×

オープンクエスチョンで広がりを持たせる

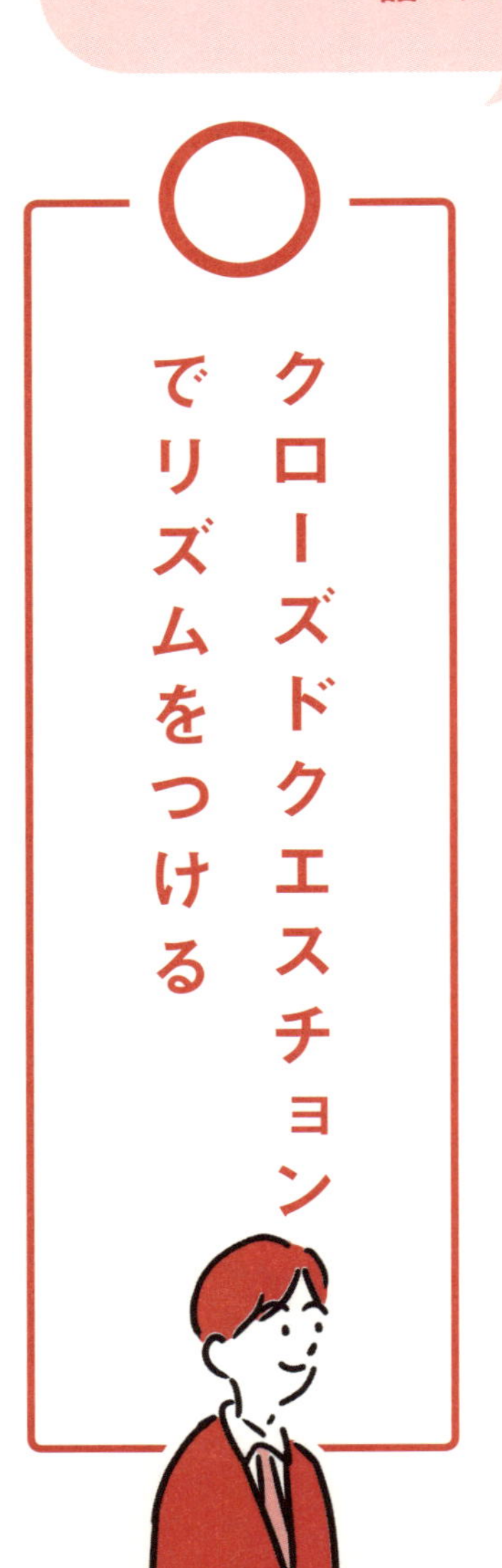

○

クローズドクエスチョンでリズムをつける

「相手の答えが『はい・いいえ』で終わってしまうクローズドクエスチョンは、話が広がらない。話を広げたい場合には『はい・いいえ』で答えられない、オープンクエスチョンを投げかけるといい」

これは、いろいろな本や理論で言われている、会話術の鉄則です。

ですが、こと雑談に関して言うと、**最初からオープンクエスチョンにしてしまうと、いろいろな答え方ができる分、どう答えていいか迷ってしまい、話が弾まなくなる場合も。**

たとえば、**「最近どう？」**が、いい例です。

質問するほうとしては使い勝手がいいので、仕事からプライベートまでさまざまな場面で使ってしまいますが、いざ聞かれてみると、困ってしまう質問でもあります。

上司に「最近どう？」と聞かれて、仕事の進捗を聞かれているのか、仕事と関係ないことを聞かれているのか、それともお説教の前フリなのか迷ったこと、ありますよね？

これも、オープンクエスチョンだから、答えを探すのに苦労するのです。結果的に、「まあ、ぼちぼちです」「がんばってます、はい」などとあいまいな答えになってしまうというわけ。
これは、スポーツの試合のヒーローインタビューなどでもよく見る光景ですよね。

具体的な質問のほうが相手も答えやすい

「最近、どう?」の代わりに、たとえば**「仕事、順調?」**と聞かれると俄然、答えやすくなります。

「うん、順調、順調。今度大きなプロジェクトを任されることになってさ」
「仕事は順調なんだけど、私生活のほうがね……。ちょっと、聞いてくれる?」

具体的に仕事の話を聞かれているからこそ、答えやすい。そのうえで、仕事の話から他のもっと話したい話題に、話がふくらんでいくこともよくあります。

会話のラリーを重視する雑談において、とくに序盤は、リズム・テンポがとても大事になってきます。

ついいつものクセであいまいな質問をしてしまったときには、すぐに、相手が答えやすいように言葉を足してあげましょう。

「最近、どう？　＋　今の会社って丸の内だっけ？」
「週末とか何してるの？　＋　たとえば先週末は？」
「久しぶり、元気？　＋　病気とかしてなかった？」

こっちが「聞きやすい質問」ではなく、「相手が答えやすい質問」するのが、雑談力のルールです。

ポイント

序盤はテンポ重視で、答えやすい質問をする

21

褒められたとき

褒められたら
お礼を言う

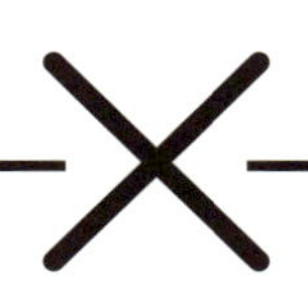

褒められたら
謙遜する

雑談のきっかけとして、褒めてくる人、いますよね。そのとき、どうリアクションするのが正解でしょうか？


――「素敵なお洋服ですね」

「いえいえ、そんな……」


――「ご活躍ですね」

「あ、いや、それほどでも……」


このようについ謙遜した受け答えをしてしまうのは、ＮＧです。

なぜなら、**そこで会話が終わってしまうから。**

そもそも、褒めた側は軽い社交辞令で褒めただけ。

それなのに、いちいち「いやいや」と否定されたり、「そんなそんな」と謙遜されたり、「あなたのほうがご活躍ですよ」と切り返されたりすると、とてもめんどう。

では、どのようにリアクションするのがいいのでしょうか?

正解は、素直に「ありがとうございます!」とお礼を言うことです。

仮に社交辞令だったとしても、お礼を言われて悪い気持ちになる人はいません。

「+ひと言」で話をふくらませる

慣れてきたら、「お礼+ひと言」で会話を広げたいもの。

たとえば、**「ありがとうございます。+ 今日のブラウスはお気に入りで、色違いで3枚持ってるんです」**と返せば、こちらの照れる気持ちも薄れますし、あちらとしても「どこで買ったんですか?」と、さらに会話のきっかけが生まれる、というわけです。

学歴や容姿、仕事の業績などを褒められた場合も同様です。

「○大なんですか? すごいですね」**「ありがとうございます。+ 高校時代、超ガリ勉でがんばったんですよ」**「意外ですね」

「肌、すごくきれいですね!」**「ありがとうございます。+ 毎晩、保湿クリーム、ベタ**

ベタに塗ってます（笑）」「どんなクリームなんですか？」

といった具合。

ちなみに、これは雑談ではないのですが、**相手がイヤミを言ってきたときにも、「ありがとう」という返しは無敵です。**

「いいよなあ、お前みたいなヒマ人が、給料だけはもらえてて」「ありがとうございます。ほんとそうですよね」

「旦那さんの稼ぎがある人は、余裕があるわねー」「ありがとうー。ほんと、いい旦那で助かってる」

便利で使い勝手のいい「ありがとう」、ぜひ有効活用しましょう。

ポイント

「ありがとう」は攻めにも守りにも使える無敵ワード

22

褒めるとき

×
「〜だね」と気づいたことを指摘する

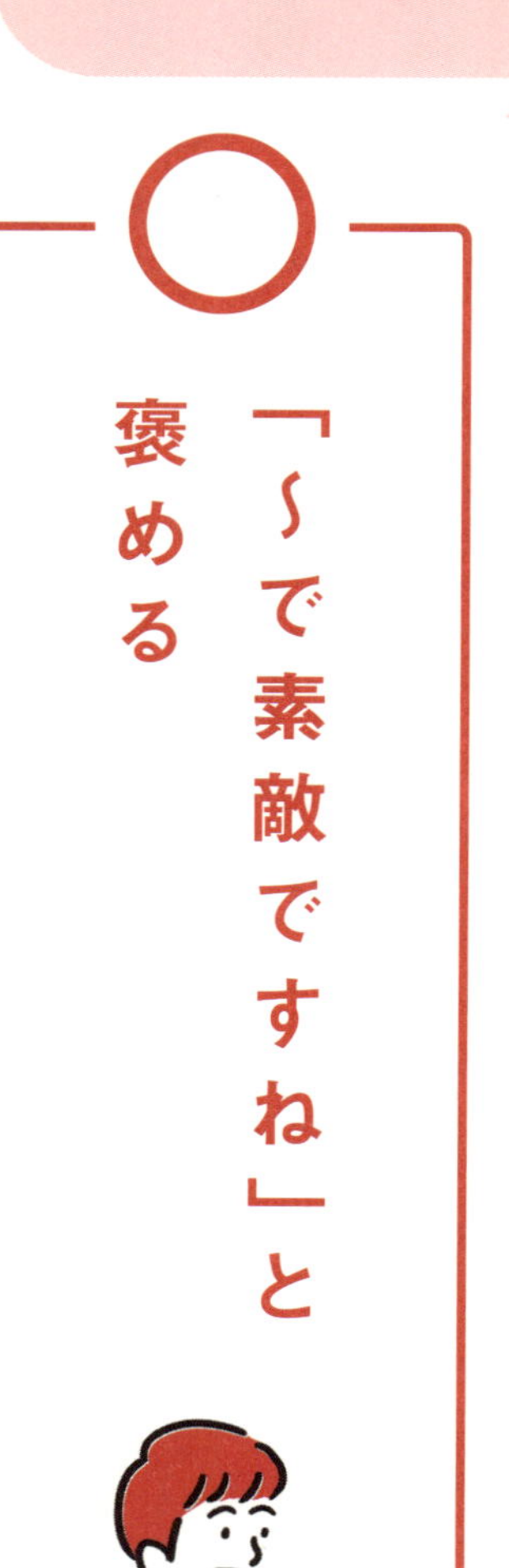

○
「〜で素敵ですね」と褒める

雑談とは、気持ちのやり取りですからまずは相手に関心を持つことが大事です。**相手をよく見て、変化に気づく。それだけで相手はうれしいものです。**ですが、その「気づき」をどう表現するかで明暗がわかれることも。

たとえば次のような会話、よくありませんか？

「あ、○○さん。そのバッグ、新しいですね」
「え、うん。セールで安かったから買ったんだ」
「…………」
「…………」

これはNGな雑談です。

指摘された側からすれば、褒められているのかけなされているのかよくわからず、リアクションに困ります。

よくぞ相手の新品バッグに気づいたわけですが、それが**指摘で終わってしまっているのが残念**なのです。

こういう、「よく気づくけれど、言葉が足りないので、〝怖い〟と思われている人」は、少なくありません。

「気づき＋いいね」で初めて褒めになる

逆に、褒め上手な人はちょっとした気づきを褒め言葉に代えるのが得意です。

「そのネクタイ、いつもしてますよね。＋ おしゃれです！」
「もしかして髪型変えました？ ＋ すごく似合ってます」
「バッグ、新調しました？ ＋ その色いいですね」

いずれも、前半部分だけでも、「あなたのことを見てますよ、気にかけてますよ」というメッセージは伝えることができてます。

が、やはり、**後半のポジティブな褒め言葉こそがポイント。「おしゃれです」「似合ってます」「その色いいです」という言葉を、恥ずかしがらずに言えるかどうかが、大事。**

逆に、雑談の上級者ともなると、褒め言葉を引き出すのが上手だったりします。

「そのバッグ、新しいですね」
「あれ？　気づいた？　変？　変じゃないよね？」
「いや、かっこいいです（笑）」

「もしかして髪型変えました？」
「そうなんだよね。似合ってる？　似合ってるよね？　似合ってるって言って」
「あ、すみません、似合ってます、似合ってます（笑）」

このように普段無愛想な相手が、がんばってコミュニケーションを取ってきたときには、ポジティブな方向に会話を導いてあげましょう。

ポイント

終わりよければすべてよし。会話も最後のひと言が重要

23

もう一度盛り上がる方法

臨機応変に
話を前に戻す

なんとかして
話を前に進める

どんな話題でも、ずっと話し続けるには限界があります。それなのにいつまでもそれに執着してしまうのは、よくない雑談です。


「……というわけで、ボードゲームは最高なんですよ」

「なるほどねー。おもしろいですね」

「そうなんです」

「奥が深いです」

「わかってもらえてよかったです」

「いいですねー」

「ええ。いいんですよー」

「……」

「……」


これ以上掘りようがない。そのことはお互いがわかっている。それでも、新しい話題も思い浮かばない。なので、しかたなく目の前の話題にこだわって、沈黙してしまう……。

そういうことってありますよね。

こういうときは、どうすればいいのでしょうか?

話はバックしてもいい。繰り返してもいい。

話を進めよう、広げようと思いすぎると、ついついこのようなことに陥りがちです。ですが、**雑談に「前に向かわなくてはいけない」というルールなんてありません。**ラリーが続けばそれでいいのですから、ときには、後ろに戻るのもアリです。


「……というわけで、ボードゲームは最高なんですよ」

「なるほどねー。おもしろいですね」

「そうなんです」

「奥が深いです」

「わかってもらえてよかったです……」

「……。あの、話はちょっと戻るんですけど、さっき言った、ボードゲームカフェですけど、それって、誰でも入れるんですか?」

「ええ、今増えてますよ。カラオケボックスみたいな感じで利用できます」
「ああ、そうなんですね。今度行ってみようかな」
「え、ご一緒しましょうよ！」

このように、**「話、戻っていいですか」「さっき、気になってたんですけど」**と宣言し、**盛り上がった地点まで巻き戻すと、当たり前ですが、再び会話は息を吹き返します。**

喫茶店でおばさま同士が、同じ話を何十回も繰り返してますが、あれなどはまさに「雑談」の極地。話の中身などどうでもいいということを、改めて実感させられます（笑）。

やみくもに会話を広げる、深めるのではなく、**ときには、戻ったり、スタート地点からやり直したりするテクニック。**覚えておくと安心です。

ポイント

話は戻ってもいい。止まらなければ、それでいい

24

雑談の覚え方

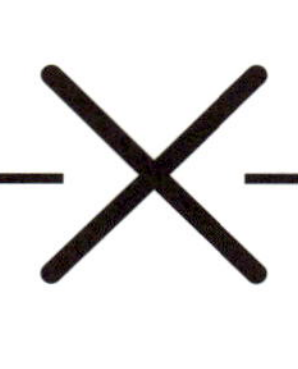

「たしか〜でしたよね」
とうろ覚えでリードする

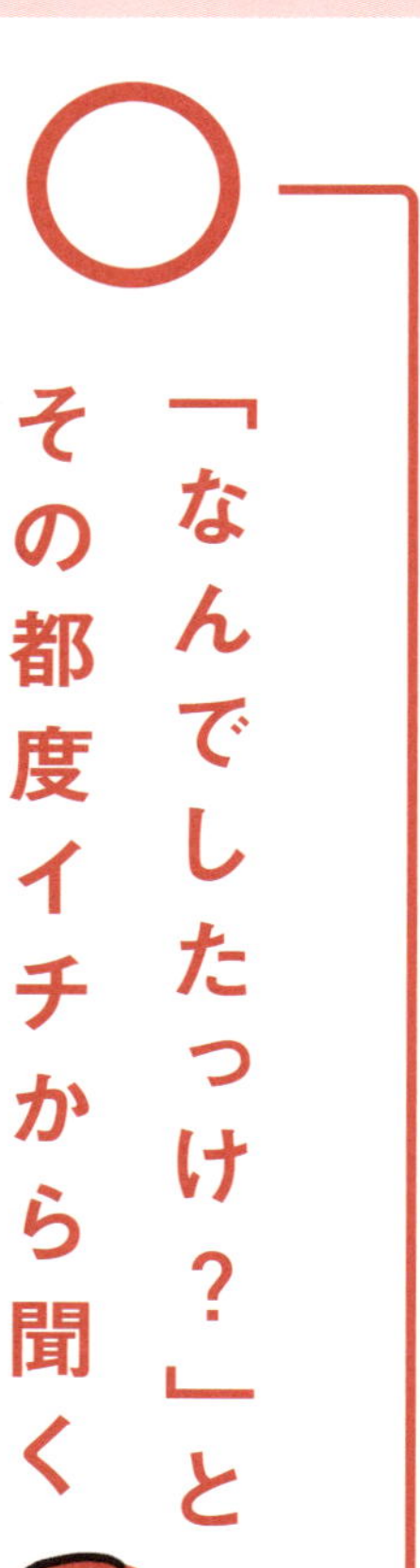

「なんでしたっけ？」と
その都度イチから聞く

以前聞いた話を、再び同じ相手から聞かされたとき、よかれと思って、話をリードしてあげるのはＮＧな雑談です。


「海外旅行が趣味でして～」

「あ、たしか、ひとり旅がお好きなんですよね！」

「いや、好きというわけでは……。前回はたまたまひとりでアメリカに行きましたが」

「そうそう、アメリカ。本場の野球をご覧になったんですよね？」

「あ、えっと、観たのはアメフトなんですけど」


「相手の好みをきちんと覚えておく」という会話テクニックもありますが、正直、それはめんどう。**うろ覚えで話を合わせると、ろくなことはありません。**

それよりは、毎回、初めて聞くようなリアクションをするほうが、楽ちんです。


「海外旅行が趣味でして～」

「海外旅行、いいですよね！」

「去年は、初めて、ひとり旅でアメリカに行ったんです」

「あ、そうなんですね！　いいなー」

「あれ、この話、前にしましたっけ？」

「えー、どうでしょう？　僕も忘れちゃいました。なので、教えてくださいよ」

「そうですか？　いや、そのときの話なんですけど」

――――――――――


途中で相手が「あれ、この話、もうしたかな？」と怪訝そうな雰囲気を出しても、「聞いたかもしれないですけど、もう一度」と、意に介さなければＯＫです。**和気あいあいと会話のラリーを続ける目的において、記憶力はそれほど重要ではないのです。**

人を紹介するときにも「うろ覚え」は邪魔

これは、人を他人に紹介するときにも、言えることです。


――――――――――

「彼は、〇〇社で働く、気持ちのいい若者でね」

「あ、××社です」

「あれ、そうだっけ。たしか、ブランド戦略を手がけてるんだよね？」
「いえ、ブランド戦略というよりは、販売促進の部署で」
「あ、そうか」

こういう気まずいことにならないよう、**下手に覚えたり、会話をリードしたりしないほうが無難。**

「彼は気持ちのいい若者でしてね。えーと、仕事は何やってるんだっけ？」
「××社で販売促進をやってます」

シンプルに関係性を述べるにとどめて、自己紹介は自分の口からやってもらうほうが、正確な情報が伝わるし、気詰まりな思いをさせないので、正解です。

ポイント

相手の話を覚えておくことは、大変なうえにリスクが高い

25

立ち入った質問をされたとき

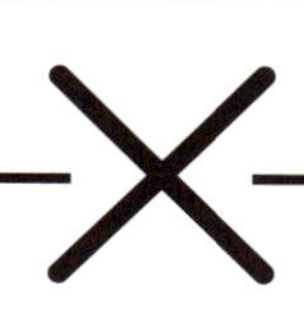

失礼にならないよう
がんばって答える

「一般的には～」と
話をそらす

「何人ぐらいつき合ってきたの？」

「ぶっちゃけ、年収、いくらなの？」

「お子さんのご予定は？」


失礼な質問をしてくる人って、いますよね。

これが、友達同士であれば「はいはい、バカじゃないの？」「そういうの聞かないほうがいいよ」とたしなめることができますが、親戚や職場の上司など、気を遣う相手であれば、そうもいかない。なにかしら答える必要があります。

ですが、ここで、**本当のことを真面目に答えるのは不正解。自分の心が傷つきますし、どう答えたとしても、相手は納得してくれないから。**


――「●人です……」

「ふーん、そうなんだ。結婚はしないの？　早いほうがいいよ」


――「●円です……」

「へー、もっと稼げる仕事あるんじゃないの？」

――――

「（子どもは）まだいいですかねー」

「なんで？」


このように、さらに答えづらい質問が続くことにもなりかねません。

かといって、「何歳に見えます？」と質問を質問で返したり、「ご想像にお任せします」と煙に巻いたりするのも、相手によっては難しい場合があります。

困った質問は一般論でごまかす

失礼な質問に対する上手な逃げ方は、**「一般論で話をそらす」**が正解。


「えー、どうでしょう、普通は、5人から10人ぐらいじゃないですか？」

「僕の年齢だと、500万円から800万円ぐらいが相場ですかね」

「普通は何歳ぐらいで産むんでしょうね？」

こうすれば一応、質問には答えてますし、暗に「自分のことは言いたくない」というアピールにもなります。

「それって少ないよね。私たちの時代は～」「だいたい、そういう相場っていうのはさ～」「普通って言っても、人それぞれだしね」などと相手が食いついて、話がそれてくれたらしめたものです。

仲良くなりたい人、答えたい質問には、パーソナルなことを。
距離を置きたい人、答えにくい質問には、一般的なことを。

雑談の鉄則です！

ポイント

距離を置きたい相手には一般論で話をそらす

26

場の空気のつくり方

司会者のように場を仕切る

潤滑油として場をなごませる

あの人みたいな雑談上手になりたい……。そう思ったとき、あなたが頭に思い浮かべる人はどのように振る舞っているでしょうか。

たとえば、ベテラン司会者のように場を仕切る姿。参加者にまんべんなく話題を振りながら、どんな話題にも的確に受け答えをする。ネタも豊富で、どんな会話にもついていけるイメージ。

実は、雑談が苦手な人ほど、こうした司会者タイプを理想とすることが多いようです。

しかし、**雑談上手になろうと思うとき、司会者を目指す必要はありません。**人には向き・不向きがあります。それよりももっといい役が実はあるのです。

目指すべきは、**潤滑油として場を和ませるスタイル。**

自ら表に出て、ばんばんしゃべるのではない潤滑油タイプであれば、自分に合ったペースで雑談に参加しつつ、話を盛り上げることができるでしょう。

「単語そのままリピート」は「オウム返し」よりも簡単

では、そんな潤滑油キャラを目指すには、具体的にどういうコツがあるのでしょうか？

相手の言うことをそのままくり返す「オウム返し」は会話術としてよく知られていますが、そのさらにシンプルなバージョン、**「聞いた単語をそのまま繰り返す」は、取り入れやすいテクニック**です。


「最近、ケーキがおいしいお店を見つけたの」

「ケーキねー」

「表参道にあるお店なんだけどね」

「表参道！」

「フレッシュなチーズがたっぷりで」

「チーズか〜」

いかがでしょう？　もはや、オウム返しすらしていないのがわかりますよね（笑）。それでも、相手は悪い気がしない。

相手の言葉を何かしらピックアップして繰り返せば、相手は「この人は自分の話に興味をもってくれているんだな」と受け止め、話をしやすくなるのです。

この「単語そのままリピート」というコツ、人によっては、あいづちやリアクションよりやりやすいかもしれません。

夫婦間や家庭内の会話でもおすすめです！

ポイント

話しやすい空気をつくるのが、雑談がうまい人

4章

超雑談力
職場／ビジネス編

小さな会話が信頼につながる

27
ビジネスの雑談とは

友達のような
対等な関係で話す

先生と生徒のような
上下関係で話す

上司や取引先との雑談は、他の雑談よりもずっと気を使うという人が多いでしょう。

何を話せばいいかわからない、失礼があっちゃいけない。完全な無駄話もよくないだろうか、かといって、変に仕事の話もできない。これでは八方ふさがりです。

ですが、**ビジネスにおける雑談も、その他の雑談と基本的な仕組みは変わりません。**会話のラリーを続けることで、人間関係を構築する。大事なのは、その過程であって中身ではない。これは同じです。

では、なぜ緊張してしまうのか。それは、そもそもの関係をはき違えているから。「雑談とは、仲のいい人と適当におしゃべりすること」という印象が抜けないから、おかしくなるのです。つまり、**気を使う相手に対して、変に友達のようにフランクに接しようとするから、無理が生じるということ。**

上司や取引先といった、自分よりも上の相手と、少しだけ距離を縮めつつも、かといって友達ではないという微妙な関係を築くのに、ちょうどよいフレームはないでしょうか？

「教えてください」がビジネス雑談のベストバランス

ビジネスの雑談においては、背伸びをして対等に話すのではなく、シンプルに「相手からものを教わる」というスタンスこそが、正解となります。

上司・取引先のほうも、どういうスタンスで雑談したらいいかわからないでいます。だから、お互い会話がぎこちなくなる。

ですから、ここは率先して、**「先生と生徒ロールプレイ」**を始めましょう。

たとえば、**「最近ちょっと悩んでることがあるんですけど」**と、少しだけ自己開示をして、身の上相談をする。

たとえば、相手が話している内容について、「はい！」と生徒のように挙手をして、**「●●って○○なんですか？　教えてください！」**と質問をする。

こうすれば、「相手が上、こっちが下」という関係はそのままに、仕事のような、プライベートのような、絶妙なバランスの会話ができます。あっちも「そういうことなら」と落ち着きを取り戻し、いろいろ教えてくれることでしょう。これこそが、ビジネスの雑談におけるベストバランスです。

これさえあれば、たとえガンダムの名ゼリフについて語られようが、欧州のマーケット事情について論じられようが、まったくあわてる必要はありません。

「門外漢ですみません」「無知で恐縮です」と言いながら、レクチャーしてもらえば、あっちは気分がいいし、こちらの知識も増えて一石二鳥というわけ。

「仕事相手」とへりくだるのではなく、かといって、友達のように対等になるのではない、ちょうどいい上下関係としての「先生・生徒ロールプレイ」。

ちなみに、これは義理の両親や年の離れた目上の人相手にも使える便利なコツです。

ポイント

先生と生徒になってしまえば、気を使う相手とも話が弾む

28

切り口の持ち方

得意な視点を持つ

得意なジャンルを持つ

取引先の人と話を合わせるために、新しい趣味を始めたり、ニュースや時事ネタに精通しようとしたりする人がいます。これは、広い知識で勝負する考えです。

あるいは、「これなら詳しい」というジャンルをつくって猛勉強。オタクとも言える知識を身につけて、それで持ちネタをつくり、会話の糸口をつくる人もいます。これは、深い知識で勝負する作戦です。

もちろん、どちらも素晴らしい努力ですし、そのことで話が弾むこともあるでしょう。ですが、それでは結局、表面的な会話に終始することが多いはず。

結局、知識は知識でしかないので、その人の人柄が浮き出てこないからです。

そこで**おすすめしたいのは、知識やジャンルではなく、オリジナルな「視点」「切り口」を持つこと。**

たとえば、知人のコンサルタントは「流通」の専門家です。

彼はどんな事象も「物事が行き届くためにはどんな仕組みが必要か」という視点で切り

取って、考えて、話すことができます。すべてのニュースをそういう目で見るので、自然と頭に入ってくるというわけです。

僕自身は、というと、「人間関係」のオタク。

なので、あらゆる事象を人間関係で切り取るクセがついています。政治の話題も、スポーツニュースも、そこでどんな人間模様が繰り広げられて、人がどんな気持ちになっているかを考えるので、すべての事象に関心を持つことができます。

すべての話題を串刺しにする視点を持つ

こういう自分なりの「視点」をひとつ持っておけば、どんなジャンルでも興味を持って人の話を聞くことができるし、自分なりのコメントを言うことができる。

いわば「広くて深い」雑談ができるのです。

たとえば相手が「犬を飼っていて、ドッグランによく行く」という話を始めたとします。このとき、犬を飼ってなくても、犬に関心がなくても、「視点」さえあれば大丈夫。「流通」という視点を持っている人は、「ドッグランって、どういう場所にあるんですか？人が通いやすくなくちゃいけないし、広さも確保しなくちゃいけないし」と関心を持つことができます。

「人間関係」という視点を持っている僕は、「どういう人が集まるんですか？　飼い主同士で交流があったり？」と興味を持てる、というわけです。

もちろん、こういう切り口は一朝一夕にできるものではありません。**まずは自分が関心があるものを書き出して、それらにはどういう共通点があるのかを考えてみるといいかもしれません。**

そうした視点は、人と話す上で、一生モノの武器になります。

ポイント

自分だけの「切り口」があれば、広くて深い話ができる

29

上司と二人きり（エレベーター）

エレベーターで思いがけず、上司と二人きりになって気まずい……。そんな経験をしたことがあるのではないでしょうか。

ビジネス書には「できるビジネスマンは、エレベーターでの会話を最大限に活用する」なんて書いてありますが、実際にその場に居合わせると、何を言えばいいかわからなくなり、黙ってうつむいてしまいます。

ですがそこで、「話しかけられないように目をそらす」のはNGです。

狭いエレベーターの中でのことですから、どんなに気配を隠しても、上司にはバレています。向こうが何も言わないのは、「気の毒だから話しかけないでおこうか」と思ってくれているだけ。あるいは「俺の顔を見て、目をそらしやがった」と内心、むかついている可能性すらあるのです。

では、エレベーターで上司と一緒になったとき、どのようにふるまえばいいのでしょうか。**正解は「自分から話しかける」です。**

「無視しなかった」という実績が大事

逃げられない個室、相手は気を遣う相手。

これだけ悪条件がそろった場面で、いったい何を話せばいいか。答えは、「なんでもいい」です。エレベーターの中での会話に、明確な話題は必要ありません。

「部長、お疲れさまです！」
「おお、どう、調子は？」
「おかげさまでなんとかやってます」
「今日は外回り？」

なんてやり取りをしているうちに、目的の階に到着します。

大切なのは会話の中身ではなく、「積極的に声をかけ、雑談をした」という事実のみです。なんなら「無視をしなかった」というだけで、ファインプレイなのです。ルールだの、コツだの、そんなものは一旦忘れましょう。

もし万が一余裕があって、チャレンジが可能なら、これまでお伝えしてきた**「褒める」「教わる」「お礼を言う」**を実践しましょう。


「いつもかっこいいですね！（褒める）」

「そんなことないよ」

「どこで洋服買われてるんですか？（教わる）」

「おお、今度、教えてやるよ」

「えー、ありがとうございます（お礼を言う）。じゃあ、失礼します」


まったくもって無内容な会話ですが、上司はあなたに好印象を持つこと間違いなし。変に仕事の話を持ち出すよりも、ずっと気に入られます。

ポイント

話しかけさえすればいい。それだけでいい

30

上司と二人きり（タクシー）

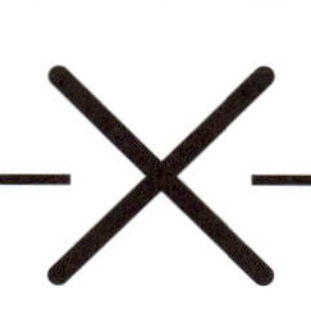

飽きさせないように話題を提供する

目に入る街並みの話をする

上司との雑談、エレベーターよりも難易度が高いのが「同じタクシーで帰ることになったとき」ではないでしょうか。

エレベーターなら短時間でなんとかなったし、途中の階で人が乗ってくる可能性もありますが、タクシーだとそうもいきません。

腹を決めて、がんばって雑談をしようにも、どうすればいいかわからない。これまで見てきたコツもいろいろ試したけどうまくいかなかった。そんなときにはどうすればいいでしょうか？

実はタクシーの中には、その場所ならではのトークテーマが転がっています。

それは**「車窓から見える街並み」**。これこそ、会議室や飲み屋にはない、タクシーならではのチャンスです。これを使わない手はありません。

「車、混んでますね」
「ここの道、ずっと工事してますね」
「あれ、あの店なくなってる。ずいぶん街の雰囲気が変わりましたね」

なんでも構いません。目についたものを片っぱしから口にすればいいのです。この技術を「ビデオトーク」と言います。

上司はそれをきっかけに日本の景気の話を始めるかもしれませんし、街の思い出話を始めるかもしれません。

相手が話し始めたら、「なるほど」「そうですか」と、あいづちを打ちます。浅い内容でも、ここはOK。そして、話が途切れたらまた、

「うわ、大きな看板！」
「あのベンツ、ずいぶん年季入ってますね」

などと、再び、見たものをそのまま話題にすればいいのです。ですから、タクシーの中はむしろ、話題の宝庫と言えます。

風景について話していれば、プライバシーにも踏み込まれない

このように、**目にしたものを口にすることの効能には「話題に困らない」以外にもうひとつ、「突っ込んだ質問をされづらい」という点があります。**

実は上司は上司なりに、部下に対して気を遣っています。

「どこに住んでいるの？」「趣味は何をしているの？」などと、あなたを質問攻めにしたとしても、それはプライベートを詮索しようと思っているわけではなく、和やかに雑談をしたいがための苦肉の策なのです。

とはいえ、ただでさえ疲れているところに、根掘り葉ほり質問されるとグッタリしますよね。であれば、目についたものの話題を次々に振って、上司に好きなように話してもらう。

そうすれば、あたりさわりなく、平和なまま帰路につけるのです。

ポイント

タクシーでは、目に映る風景がそのまま話題になる

31

話題の変え方

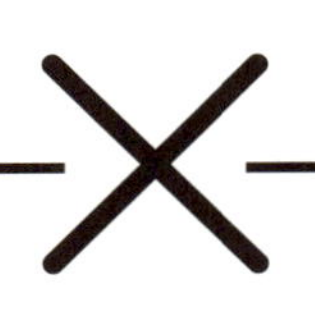

「そろそろ」と
話題を変える

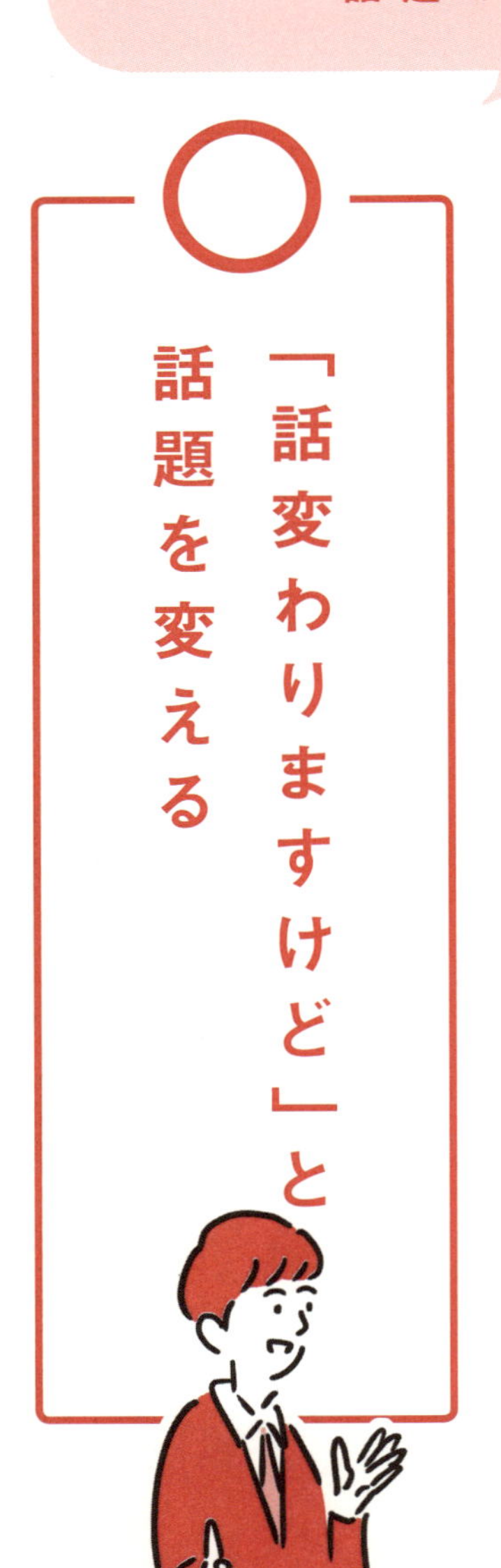

「話変わりますけど」と
話題を変える

雑談をしていて、いい加減この話を切り上げて本題に入りたい、と思ったとき、どうすればいいでしょうか？

「ところで」とさりげなく話題を変えようと思っても、すぐに戻ってしまう。「そろそろ」と促しても、切り上げない……。

とくに、相手が上司や取引先など、目上の人だったりすると、話題変更が難しいことも多いでしょう。

こういうときに役立つのは、「話は変わりますけど……」と、そのままズバリの目的を言ってしまうことです。

身勝手に話を進めるタイプでも、「話が変わりますけど……」と言われて、「いや、話を変えないでこのまま！」と言い出すことはまずありません。

同じように**「全然違う話をしてもいいですか？」「これまでの流れを切っちゃって申し訳ないんですが」**なども、有効。とにかく、「これからこういう話をしたい」という目的を、ストレートに伝えてしまうのが正解です。

商談の前の世間話から、そろそろ本題に入りたいな、というときにも、**「いやー、おしゃべりが楽しくてキリがないですね」**と持ち上げてから**「ずっと話していたいのですが、本題に入りましょうか」**と言うと、スムーズに商談に移行できるでしょう。

不安な点はあらかじめ「お断り」しておく

自然な流れにこだわるのではなく、最初にバシッと「お断り」を入れるテクニックは、エピソードトークにも使えます。

この人に話すのはたぶん初めてだと思う。けれど、いろんな場所で話している話なので、もしかしたら2度目、あるいは3度目かもしれない。でも、手をこまねいていては機会を逸する。どうしよう……。

そう思ったときには、あっさりと**「これ、前にお話ししてたら、ごめんなさいなんです**

が」「これ、僕の持ちネタなんで、いろんなところで話してるんですけど」と、最初に言ってしまうのが得策。

仮に途中で「それ、前に聞いたよ」と言われたら、「ですよね、すみません」と引っ込めればいいいだけの話です。

ただでさえ緊張する相手との雑談。

相手のリアクションを見ながら上手に場をコントロールしようとするのではなく、「話を変えます」「同じ話をします」と高らかに宣言してしまえば、やることはぐっとシンプルになります。

ポイント

「自然な流れ」にこだわらなければ、雑談は超簡単

32

話題へのリアクション

あらゆる発言に反応する

キーワードを絞って反応する

「この間、駅前にできたそば屋に初めて行ったよ」

「あの東口のそば屋ですか？　おいしいですよね」

「うん。わりとよかったね。でね、その隣にハンバーガー屋があってさ」

「ハンバーガー、流行っていますね。結構並んでいましたか？」

「ああ……うん、まあ、行列といえば、タピオカ屋のほうが……」

「タピオカ！　そうそう、すごいですよね。どんどん店が増えていて」


相手が取引先や上司ともなると、「仕事だから」という意識が働くせいか、がんばって雑談しなければと考える人が少なくありません。しかし、そのがんばりが、ときに空回りしてしまうことに。


相手のあらゆる発言に反応するのは、そんな空回りのひとつです。

反応するほうとしてはひとつでも多くリアクションし、相手に心を開いてもらおうとするのですが、そうやって落ち着きなく、脊髄反射のように飛びついても、会話も関係もまったく深まりません。こんなとき、どうすればいいのでしょうか。

ある程度雑談力がついてきたら、ゴールや戦略を意識しましょう。

たとえば、取引先の人に「この間、駅前にできたそば屋に初めて行ったよ」と言われたら、この話題を「駅前」と「そば」（またはそば屋）どちらで受け止めて広げるのか、おおよその方針を決めます。

前者なら「駅前はよく行かれるんですか」「駅前にいろいろ新しいお店ができているみたいですね」などの質問が考えられますし、後者なら「そば屋、どうでしたか」「そばお好きなんでしたっけ？」などと尋ねると話が広がるでしょう。

ときには黙ってうなずくのも雑談力

雑談が苦手な人がついやってしまうのが、「沈黙に耐えられず、とにかく反応」という行為です。

気まずくなるのが怖いあまり、相手が言うことに何でも反応した結果、薄っぺらい受け答えになり、かえって場が盛り下がる……。

必死になって、コロコロ話題を変えるが、どれも盛り上がらない……。

すべてのキーワードに反応し、質問を投げかける必要はありません。**何も言わずに、ふむふむとうなずきながら話を聞くことも立派なリアクションのひとつ。**

深呼吸して、ゆったりした態度で臨めば、その落ち着きが相手にも伝わり、居心地のよさを印象づけることができます。

ポイント

会話のラリーは、息切れしないスピードで行う

33

人と差がつく話の聞き方

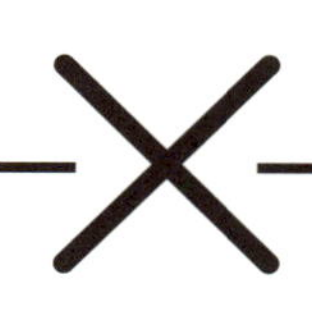

「おもしろいですね」と聞き流す

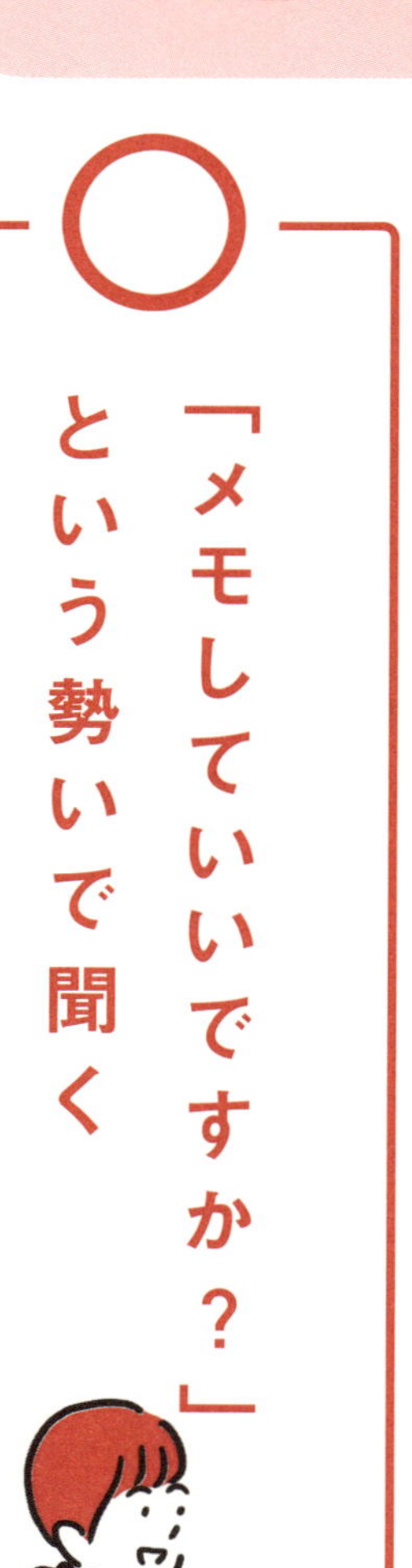

「メモしていいですか？」という勢いで聞く

雑談とは会話のラリーであり、話の内容はどうでもいいと、再三お伝えしてきました。ですがだからこそ、話を聞くときの姿勢でひと工夫すると、他の人と差をつけることができます。

「ナポレオンは、フランス革命前夜、こんなことを言ってたらしいんだけどね」
「いま、ベネズエラで、おもしろいビジネスが流行ってるのを知ってるかね？」

上司や取引先の人が、ちょっとした教訓や、学びのある話を話してきたとき。いつものように「おもしろいですね！」とリアクションを心がけるわけですが、もうワンランク上を目指すなら、もっと積極的に「すごく聞いてます、大変興味があります」というアピールをしてもいいでしょう。

具体的には、**「ちょっとそのお話、メモしてもいいですか？」と言って、手帳なり、スマホなりを取り出すのです。**

ビジネスの雑談において、「先生と生徒プレイ」が有効というお話をしましたが、「ノートを取っていいですか？」という熱心な生徒に、気を悪くする先生はいません。「いやいや、それほどのことでもないけどなあ」と上機嫌になるはずです。

そこで本当にメモを取ってもいいですし、まあ、取るフリでもかまいません（笑）。繰り返しになりますが、**雑談というコミュニケーションにおいて内容は重要ではなく、「メモを取りたくなるぐらい、あなたの話はおもしろいです」というアピールこそが重要なのですから。**

記憶が定着するコツは「すぐに人に話す」

もちろん、メモしたネタを覚えておくに越したことはありません。本当におもしろい話であれば、今後あなたの持ちネタになるでしょう。

でもそうやってメモしたからといって、覚えられるかというと、怪しいものです。メモも、実際にはなかなか見返さないでしょう。

人から聞いた話を、自分のものにするぐらいに覚えるには、いいコツがあります。

それは「すぐに人に話す」です。

「聞く」「読む」「メモしながら聞く」など、さまざまな学習法のうち、**「聞いて、その内容を人に話す（教える）」が脳に最も定着する**という研究があります。

ですから、その上司なり取引先からおもしろい話を聞いたときには、すぐに同僚に話すといいでしょう。

適当な相手がいなければ、ＳＮＳで発信（差し障りのない話に限りますが）。**自分なりの言葉で解釈して文章にする**こともまた、記憶に定着させるよい方法だからです。

ポイント

メモするフリで、熱心さをアピールする

34

雑談の機会のつくり方

飲み会で仲良くなる

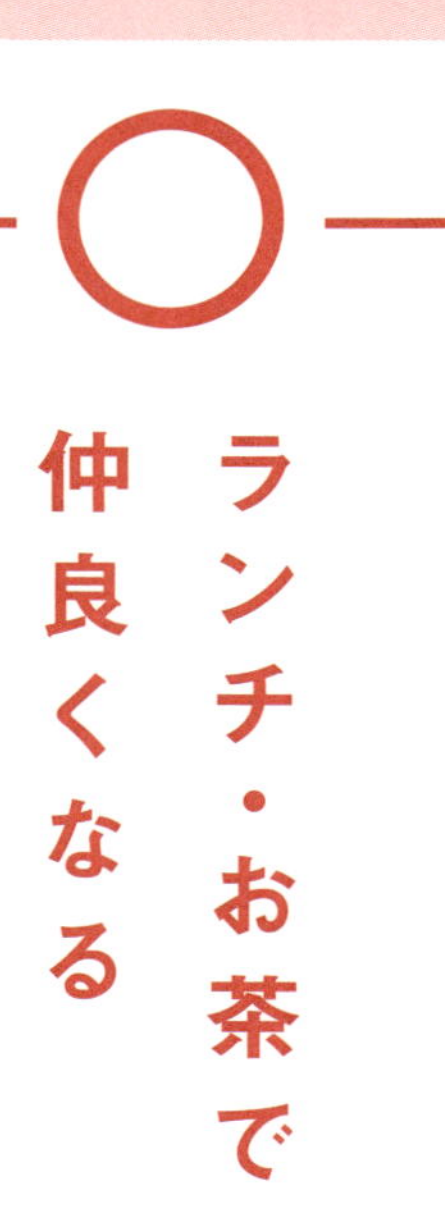

ランチ・お茶で仲良くなる

「今度、飲みに行きましょうよ」

「ぜひ！」

こう言って、結局、飲みに行ったことのない相手、何人いますか？

「飲みニケーション」は、ビジネス雑談において根強い人気があります。

いまだに「目上の人や取引先の人と仲良くなるには、飲みに行くのが一番！」と語る人も多いもの。

実際、飲み会での談笑は、ラクです。

お酒の力を借りると、簡単に話が弾み、時間もあっという間に過ぎます。正直、たいした雑談力は必要ではありません。

ところが、**一晩中飲み明かすと、親しくなれたような気分になりますが、実はそうでもなかったというケースも少なくありません。**

お互い酔っ払っていると、何を話していたかも忘れてしまうし、ときにはささいなことでケンカになったりもします。また、最近では、お酒を飲まない人・場面もずいぶん増えました。

ですから、距離を縮めたい相手は、お茶やランチに誘うのがいいでしょう。**お茶やランチのいいところは、時間の見積もりが立てやすいことです。**飲み会となると一次会、二次会……とズルズル時間が延びやすいのが悩ましい。

その点、お茶やランチであれば、そもそも長時間一緒に過ごす前提ではないので、「そろそろこのあたりでお開きにしましょう」と切り上げやすいのです。

「お茶ニケーション」はリーズナブル

また、**飲み会と比べて、お茶やランチはリーズナブル。**うっかり飲み過ぎて懐を痛める、終電を逃す、体調を崩すといった心配もありません。

デメリットがひとつだけあって、それはお酒が入らない分、高い雑談力が求められるということ。

本書は、まさにそういうニーズのためにあります（笑）。

話していく中で、共通の趣味・スポーツがあることがわかったら、それに誘うのもいいでしょう。

テニスやゴルフ、クライミングや将棋……。**数時間、仕事やお酒を抜きにした、熱中した時間を一緒に過ごすことで、相手との関係は密接なものになります。**

ゴルフなどはその典型で、「雑談スポーツ」の最たるものです。

ゆっくりと、3人（4人）だけで半日をともにする中で、他愛のない話を楽しむ。商談の前哨戦が繰り広げられることもしばしばです。

知り合いの経営者は、大の麻雀好き。「お酒はめんどうだし、次の日に差し支えるので、会合はなるべく麻雀にしてもらっている」と語っているほど。

令和の時代、この人と親しくなりたいと思ったら、安直にお酒に誘うのではなく、ぜひシラフで会うことを試みてください！

ポイント

雑談力はノンアル時代の必須スキル

35

遊びに誘われたとき

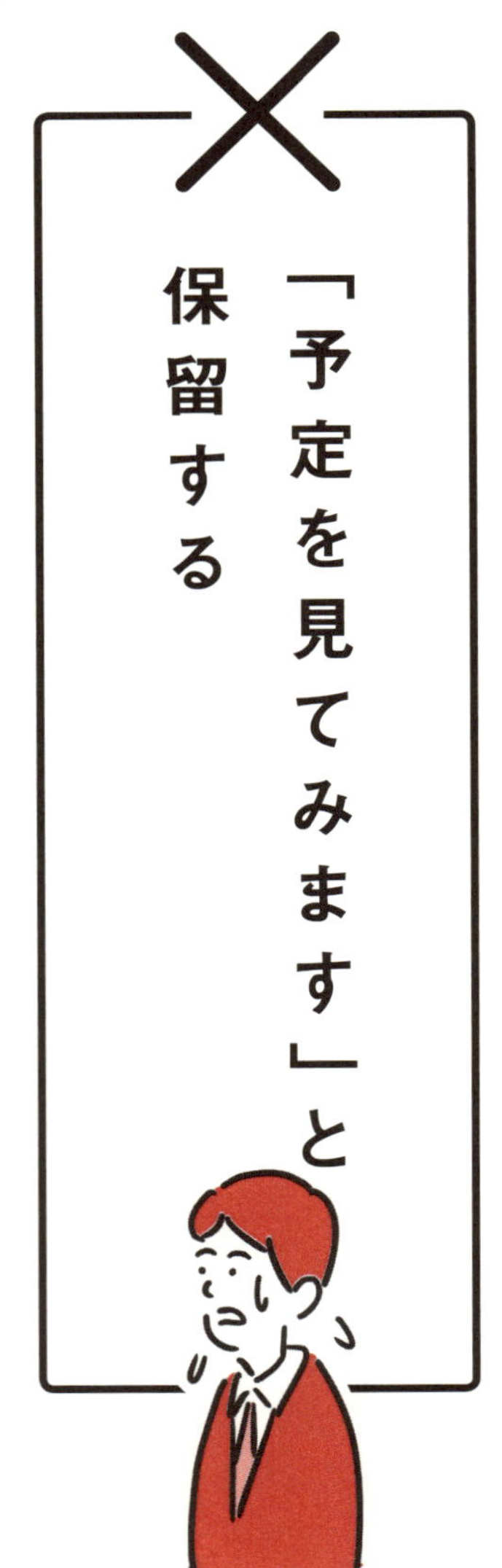
×
「予定を見てみます」と
保留する

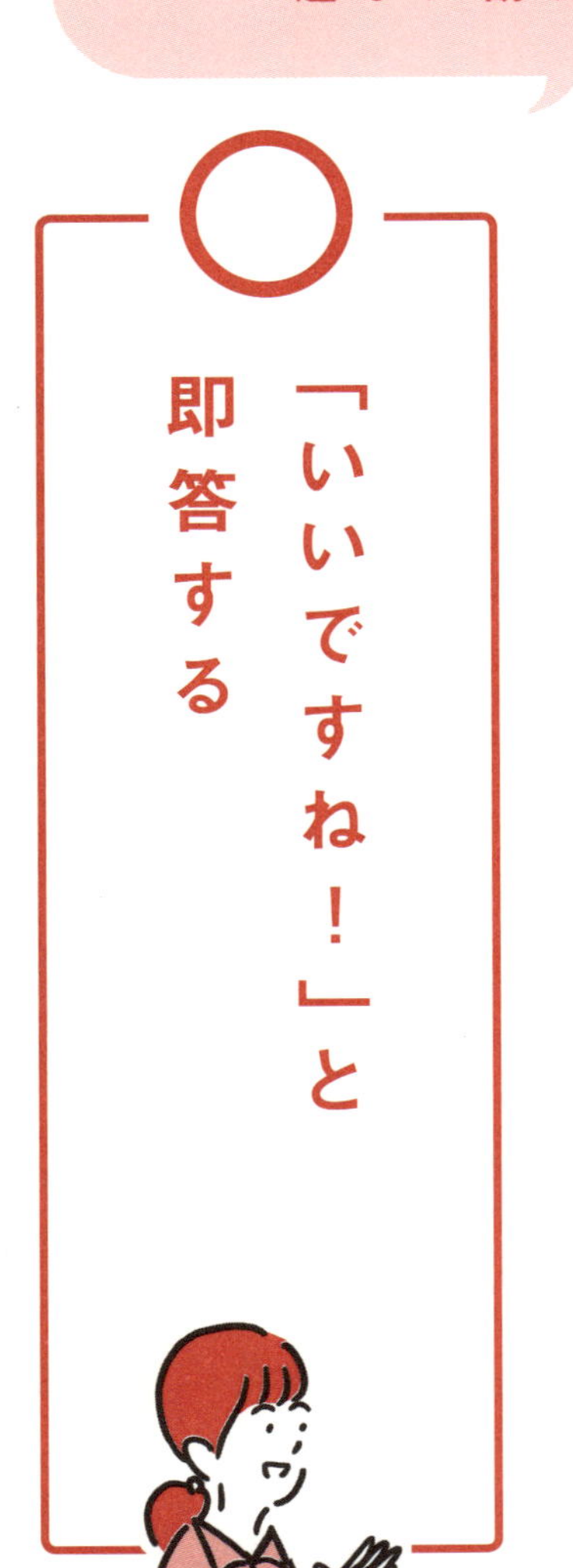
○
「いいですね！」と
即答する

「今度、私の知り合いを紹介がてら、一杯どうかな？」
「季節もいいし、ゴルフでもご一緒しましょうよ」

上司や取引先との雑談が盛り上がり、その勢いで飲みや遊びの誘いをうけること、ありますよね。あるいは仕事の流れで「これから打ち上げでもどう？」と誘われたり。

正直、行きたくない。行くにしても、もう少し詳細を知りたい。そう思って「ちょっと予定を見てみますね」「他に誰が来るんですか？」と保留をするのはNGな雑談です。

この場合は**「いいですね」「ぜひ行きたいです」**と、即答することが正解です。

そのうえで、「スケジュールを見てみたのですが、すみません、先約がありました」とか「ちょっと仕事の繁忙期でした」などと、あとから断ってもOKです。

雑談では内容は問題ではなく、気持ち・姿勢が大事、という話をしてきました。

それと同じで、こうした**ビジネスなのかプライベートなのかわからない「ビジネス遊び」の誘いも、「行くかどうか」ではなく、「行きたい」という前向きなポーズを示せるかどうかが、関係構築には重要なのです。**

お礼のメールもひと工夫する

そうやってノリよく返事をしていると、断りづらい案件も増えてくるでしょう。

そういうときは、「接待」「仕事」と割り切って行くと、気持ちもモヤモヤしないはず。
上司や同僚を一緒に巻き込むのもおすすめです。

さて、ポイントは、終わってからのお礼のメール。
「ごちそうさまでした」「ありがとうございました」、と、ここまでは、ビジネスマナーの基本ですが、雑談力としては、もうひと言加えたいところ。

「電車混んでましたけど、無事に帰れましたか？」
「帰り道、寒くなかったですか？」

このように、相手の気持ちに寄り添う優しいひと言をかければ、単なるビジネスの相手ではない、適度な距離感をつくれるわけです。

仕事相手との遊びは「仕事」と割り切る。
終わってからのひと言で、「仲良し」をアピール。

このバランスで、乗り切ってください！

ポイント

「行きたいです」でやる気アピール。その後、断ってもＯＫ

36
うわさ話

知人・同業者のうわさ話

芸能人・有名人のうわさ話

雑談とは、会話のラリーであり、話の内容いかんにかかわらず、肯定して、話に乗っておくべきという話を、何度となくしてきました。

が、唯一、例外があります。

それは、**うわさ話。**

「◎◎さんって、女グセが悪いって評判じゃない？」

「■■くんって、ほんとに仕事できないよね。ひどい目に遭ったよ」

うわさ話がやたらと好きな人がいます。パーティや異業種交流会、あるいは職場で、うわさ話を振られて、どう対応しようか迷ったことがあるのではないでしょうか。

これまでの例で言えば、これは相手が気持ちを吐き出しているわけですから、「そうですね」と乗っておけばよかったわけです。

そこで言われているのが、**自分の知らない人、関係のない人であればそれでＯＫ。**たとえば、芸能人とか政治家であれば、一緒になって悪口を言ってもいいでしょう。

ですが、そのうわさ話の対象が、自分の知ってる人だとそうもいきません。

うっかりそれに同調すると、どこで話の尾ひれがつくかわからず、あなた自身が悪いうわさを流していたということにもなりかねないからです。

ですから、**世の中のあまたある雑談の中で、唯一、「知っている人のうわさ話」だけは、なるべく乗らずに、距離を置くことが大事です。**これまで見てきた「遠ざけるテクニック」で、なんとか危険を回避しましょう。

とにかくネガティブなことは言わない

これはうわさ話に限ったことではなく、「むかついた」「嫌だった」という話は、雑談では避けたほうがいいでしょう。

喜怒哀楽のような生の感情を表現することはよいことですが、悪意のある話、ネガティブな話だと、聞いているほうも気分が悪くなります。

――「タレントの◎◎、全然かわいくないですよね！」
「あ、私、ファンなんですけど……」

――「●●っていうお店、超まずくない？」
「僕、結構好きで、よく通ってるんですよね……」

一緒になって誰かの悪口を言うのは、とてもとても楽しいものですが、それはだいぶ仲良しになった人や、気の置けない友達とやること。上司や取引先などの仕事相手には、そこまで心を開くべきではありません。

無難なテーマ。毒にも薬にもならない話題。
それでいかに盛り上がれるかが、雑談力の極意です。
「悪口」「うわさ話」には、手を出さない覚悟を貫いてください。

ポイント

無難な話題でいかに盛り上がれるかが雑談力

おわりに――「人に興味が持てない」という病

ふたたび、こんにちは！　著者の五百田 達成です。

「超雑談力」、いかがでしたか？
なんとなく、「こうすればいいのかな？」と思ってもらえたでしょうか？
であれば、とてもうれしいです。
だいじょうぶ、あなたの雑談力は、確実に向上しています。間違いありません！

さて。
少し話は変わります。

突然ですが、「人に興味が持てない」って思ったことありませんか？

- どうでもいい人の話に、興味が持てない
- 知らない人を、知ろうという気が起きない
- 自分のことで精いっぱいで、他人にかまってられない
- 仲のいい人は何人かいるから、それ以外の人と仲良くなろうとは思わない

そのいっぽうで、

- それじゃいけない気もする。さみしい人生になるのはイヤだ
- 交友関係が閉じてしまっていて、これでいいのかな、と不安
- 友達は、みんな学生時代からの関係。大人になってから、友達ができたことがない
- もっと人に興味を持たないと、仕事も、恋愛も、結婚もできないかも

と思ったり。

よく、わかります。
本当に、よーく、わかります。

僕自身、結構つきあう人を選ぶほうです。

「どうでもいいな」って思う人を、シャットダウンしてしまうこともよくあります。初対面の相手や社交の場ではいまだに緊張するし、知らない人だらけのパーティは憂鬱です。

それでも、大人になってからできた友達が、何人かはいます。

その人たちも、最初は知らない人だった。どうでもいい人だった。興味がなかった。仲良くなろうとも思わなかった。

そんな人と、どうやって今の関係を築いたのか。

そう、まずは雑談をしたのです。

なにかの集まりで会った人。少しずつ話すうちに、気が合うことがわかってきた。もう少し話してみた。「あれ、この人おもしろいんじゃないか」と思うようになった。もう少し話してみる。お茶したり、遊びに行ったりして、徐々に仲良くなる。

結果的に、「この人とは一生、友達だろうな。あー、うれしいなあ。信頼できるし、相談できるし、一緒にいて楽しいし。よかった、よかった」と感謝するまでになる……。

仕事でも、プライベートでも、そういう人が、多くはありませんが、何人かいます。

そういう意味では、雑談ってすごいよな、と思います。

なぜなら、**最初の最初のところで、雑談したからこそ、少しずつ、その人と関係を築くことができたわけだからです。**

雑談を通じて少しずつ関係が深まると、相手のことがちょっとわかってきます。

そうすると、「知らない人」から「少し知っている人」に格上げされます。そうすると、興味が湧いてきます。さらに話すと、もう少し興味が湧いてきます。

信頼関係、交友関係とは結局、そういうものの積み重ねだよなあと、この年になってしみじみ思うわけです。

雑談力を身につけると、人に興味が持てるようになります。

結果的に、人づきあいが広がったり、深まったりします。

そしてごくたまに（そんなに頻繁には起きませんが）、一生モノの友人やパートナーを得ることもあります。

本書「超雑談力」が、あなたの人生にそうしたことをもたらすきっかけとなれば、著者としてこれ以上にうれしいことはありません。

最後になりますが、いつも本づくりを支えてくださる編集の大竹朝子さん、谷中卓さん、編集協力の島影真奈美さん、デザイナーの小口翔平さん、喜來詩織さん、岩永香穂さん、三沢稜さん、ディスカヴァー・トゥエンティワンの干場弓子さんに、この場をお借りしてお礼を言いたいと思います。彼女たち・彼らとの出会いもまた「雑談」で始まりました。今後ともよろしくお願いいたします。

ここまで読んでくださったあなたの、豊かで楽しい毎日を、心から祈っております。本当にありがとうございました。

2019年12月　五百田 達成

最後までお読みいただき、ありがとうございます。
本書を通して、何か発見はありましたか？
ぜひ、感想をお聞かせください。

いただいた感想は、著者と編集者が拝読します。

また、ご感想をくださった方には、お得な特典をお届けします。

超雑談力
人づきあいがラクになる 誰とでも信頼関係が築ける

発行日 2019年12月25日 第1刷
2023年7月11日 第22刷

Author 五百田達成

Illustrator 髙柳浩太郎
Book Designer 小口翔平＋喜來詩織＋三沢稜(tobufune)

Publication 株式会社ディスカヴァー・トゥエンティワン
〒102-0093 東京都千代田区平河町2-16-1 平河町森タワー11F
TEL 03-3237-8321(代表) 03-3237-8345(営業)
FAX 03-3237-8323
http://www.d21.co.jp

Publisher 谷口奈緒美
Editor 大竹朝子(編集協力 島影真奈美)

Marketing Solution Company 小田孝文 蛯原昇 谷本健 飯田智樹 早水真吾 古矢薫 堀部直人 山中麻吏 佐藤昌幸 青木翔平 磯部隆 井筒浩 小田木もも 工藤奈津子 佐藤淳基 庄司知世 副島杏南 滝口景太郎 竹内大貴 津野主揮 野村美空 野村美紀 廣内悠理 松ノ下直輝 南健一 八木眸 安永智洋 山田諭志 高原未来子 藤井かおり 藤井多穂子 井澤徳子 伊藤香 伊藤由美 小山怜那 葛目美枝子 鈴木洋子 畑野衣見 町田加奈子 宮崎陽子

Digital Publishing Company 大山聡子 川島理 藤田浩芳 大竹朝子 中島俊平 小関勝則 千葉正幸 原典宏 青木涼馬 伊東佑真 榎本明日香 王廳 大崎双葉 大田原恵美 佐藤サラ圭 志摩麻衣 杉田彰子 舘瑞恵 田山礼真 中西花 西川なつか 野﨑竜海 野中保奈美 橋本莉奈 林秀樹 星野悠果 牧野類 三谷祐一 宮田有利子 三輪真也 村尾純司 元木優子 安永姫菜 足立由実 小石亜季 中澤泰宏 森遊机 石橋佐知子 蛯原華恵 千葉潤子

TECH Company 大星多聞 森谷真一 馮東平 宇賀神実 小野航平 林秀規 福田章平

Headquarters 塩川和真 井上竜之介 奥田千晶 久保裕子 田中亜紀 福永友紀 池田望 石光まゆ子 齋藤朋子 俵敬子 宮下祥子 丸山香織 阿知波淳平 近江花渚 仙田彩花

Proofreader 文字工房燦光
DTP アーティザンカンパニー株式会社
Printing 大日本印刷株式会社

本書へのご意見ご感想は下記からご送信いただけます。
http://www.d21.co.jp/inquiry/

ISBN978-4-7993-2578-0 (c)Tatsunari Iota, 2019, Printed in Japan.